Tiefen der Liebe: Die Gewässer langlebiger Beziehungen durchqueren

Essentieller Leitfaden zu den Grundpfeilern von Intimität, Kommunikation und gemeinsamem Wachstum

Daniel Liebesbeziehungen

1. **Selbstbewusstsein** • Bevor du nach einem Partner suchst, verstehe dich selbst. Was wünschst du dir in einer Beziehung? Was sind deine Ängste?

2. **Selbstwertgefühl** • Erinnere dich immer an deinen Wert. Selbstliebe ist der Schlüssel, um jemanden anzuziehen, der dich für das liebt, was du bist.

3. **Aktives Zuhören** • Aktives Zuhören in die Praxis umzusetzen, wird dir helfen, deinen Partner besser zu verstehen und echtes Interesse zu zeigen.

4. **Effektive Kommunikation** • Sie öffnet die Türen zu einer gesunden und stabilen Beziehung. Teile deine Gefühle, aber höre auch die deines Partners.

5. **Ehrlichkeit und Transparenz** • Eine solide Basis wird auf Wahrheit aufgebaut. Hab keine Angst, deine Verletzlichkeit zu zeigen.

6. **Kultur und Interessen** • Erweitere deinen Horizont. Lies, reise und lerne. Du

wirst eine interessantere Person sein, mit der man ausgehen kann.

7. **Liebessprachen** • Entdecke die fünf Liebessprachen und verstehe, welche für dich und deinen Partner am wichtigsten ist.

8. **Respektiere Unterschiede** • Jeder Mensch ist einzigartig. Das Feiern und Respektieren von Unterschieden stärkt die Verbindung.

9. **Kreative Dates** • Überrasche deinen Partner mit unerwarteten und unterhaltsamen Verabredungen.

10. **Grenzen und Begrenzungen** • Das Festlegen und Einhalten von Grenzen ist entscheidend für eine gesunde Beziehung.

11. **Emotionale Intelligenz** • Erkenne und manage deine Emotionen und versuche, die Emotionen anderer zu verstehen.

12. **Persönliche Entwicklung** • Wachse als Individuum. Besuche Kurse, lese Bücher, meditiere.

13. **Konfliktmanagement** • Lerne, auf konstruktive Weise durch Meinungsverschiedenheiten zu navigieren, ohne persönliche Angriffe.

14. **Soziales Leben und Unabhängigkeit** • Pflege ein soziales Leben außerhalb der Beziehung. Unabhängigkeit ist attraktiv.

15. **Achte auf Details** • Kleine Gesten können einen großen Einfluss haben. Beachte die kleinen Dinge, die deinem Partner gefallen.

16. **Gesundheit und Wohlbefinden** • Pflege deinen Körper und deinen Geist. Gute Gesundheit verbessert die Qualität der Beziehungen.

17. **Werte und Ziele** • Teile deine Werte und stimme deine Ziele mit deinem Partner für eine dauerhafte Verbindung ab.

18. **Empathie** • Setze dich immer in die Lage deines Partners und versuche, seine Sichtweise zu verstehen.

19. **Romantik** • Verpasse nie die Gelegenheit, romantisch zu sein, unabhängig davon, wie viel Zeit vergangen ist.

20. **Hingabe** • Engagiere dich in der Beziehung und arbeite daran, sie zum Funktionieren zu bringen. Hingabe ist der Schlüssel, um Herausforderungen zu meistern.

Selbstbewusstsein Vor dem Eintauchen in die Welt des Datings oder der Partnersuche ist es entscheidend, eine innere Reise zu unternehmen und ein tiefes Verständnis von sich selbst zu erlangen. Selbstbewusstsein ist nicht nur der Schlüssel für bedeutungsvolle Verbindungen zu anderen, sondern auch für den Aufbau eines ausgewogenen und erfüllten Lebens. Hier sind einige Einblicke in dieses grundlegende Konzept:

- **Kenne deine Wünsche:** Oft werden wir von gesellschaftlichen Standards oder den Erwartungen anderer getrieben. Aber was möchtest du wirklich in einer Beziehung? Suchst du eine Partnerschaft, die auf Leidenschaft, Freundschaft, persönlichem Wachstum oder Abenteuer basiert? Diese Antwort variiert von Person zu Person, und es ist wichtig zu wissen, wonach du suchst, um jemanden zu finden, der deine Vision teilt.
- **Erkenne deine Ängste:** Jeder hat Ängste und Unsicherheiten, aber sie zu erkennen, ist der erste Schritt, um sie zu überwinden. Hast du Angst verletzt, abgelehnt oder verlassen zu werden? Oder fürchtest du den Verlust deiner Unabhängigkeit oder fühlst dich nicht gut genug? Indem du diese Ängste anerkennst, kannst du an ihnen arbeiten und verhindern, dass sie deine Liebesleben beeinträchtigen.
- **Reflektiere über deine Werte:** Was sind deine grundlegenden Werte? Was repräsentiert für dich Integrität, Loyalität oder Engagement? Klarheit über deine Werte hilft dir, einen Partner

- **Schließe Frieden mit deiner Vergangenheit:** Vergangene Erfahrungen, sowohl positive als auch negative, beeinflussen deine Gegenwart. Erkenne wiederkehrende Muster in deinen früheren Beziehungen und frage dich, woher sie kommen. Lerne aus deinen Fehlern und feiere deine Erfolge.
- **Engagiere dich für persönliches Wachstum:** Selbstbewusstsein ist ein Weg, keine Destination. Nimm dir Zeit für Reflexion, Meditation, Lesen oder Therapie, wenn du es für notwendig hältst. Je mehr du als Individuum wächst, desto mehr wirst du Menschen anziehen, die deine Energie und deine Werte widerspiegeln.

Zusammenfassend ist Selbstbewusstsein das Fundament jeder gesunden und dauerhaften Beziehung. Bevor du nach jemand anderem suchst, versuche, dich selbst zu verstehen. Die Wahrheit ist, dass ein tiefes und ehrliches Verständnis von dir selbst jede Beziehung, insbesondere romantische, reicher und erfüllender macht.

Selbstbewusstsein im Kontext von Beziehungen ist eine Linse, durch die wir nicht nur sehen können, wie wir mit anderen interagieren, sondern auch, wie wir auf die verschiedenen Situationen reagieren, die das Leben uns bietet. Und während es wahr ist, dass die meisten Menschen eine Vorstellung davon haben, wer sie sind, erfordert echtes Selbstbewusstsein einen tiefen und kontinuierlichen Aufwand der Selbstreflexion.

Ein entscheidender Punkt des Selbstbewusstseins betrifft die Identifizierung unserer eigenen Emotionen. Manchmal geraten wir in Situationen, in denen wir emotional reagieren, ohne vollständig zu verstehen, warum. Zum Beispiel könnte eine kleine Kritik von einem Partner eine übermäßig defensive Reaktion auslösen, nicht aufgrund der Kritik selbst, sondern aufgrund früherer Kritik, die wir in der Vergangenheit erhalten haben. Das Verstehen der Wurzeln unserer emotionalen Reaktionen ermöglicht es uns, auf Situationen ruhiger und überlegter zu reagieren.

Selbstbewusstsein erfordert auch eine gründliche Untersuchung unserer Stärken und Schwächen. In einer Beziehung ist es leicht, den Finger auf den Partner zu zeigen, wenn die Dinge schief gehen, aber echtes Selbstbewusstsein führt uns dazu, unsere Rolle in diesen Konflikten zu überprüfen. Dies bedeutet nicht, die Schuld an allem zu übernehmen, sondern vielmehr zu erkennen, wann und wie wir zu bestimmten negativen Dynamiken beitragen könnten. Diese Erkenntnis kann wiederum die Grundlage für Veränderung und Wachstum bieten.

Darüber hinaus gibt es die Frage der Übereinstimmung zwischen dem, was wir zu wollen glauben, und dem, was wir wirklich wollen. Du könntest denken, dass du eine stabile, langfristige Beziehung willst, aber wenn du dich immer wieder in kurzen und unverbindlichen Beziehungen wiederfindest, könnte es ein verborgenes Verlangen oder eine verborgene Angst geben, die diese Entscheidungen beeinflusst. Das Erforschen solcher Diskrepanzen kann tiefe Wahrheiten über deine Wünsche und Ängste aufdecken.

Es gibt auch das Konzept der Selbstakzeptanz, das eng mit Selbstbewusstsein verbunden ist. Sich selbst mit all seinen Imperfektionen zu akzeptieren, ist entscheidend, um authentische und bedeutungsvolle Beziehungen aufzubauen. Wenn du ständig im Konflikt mit dir selbst stehst, kann dieser innere Kampf sich in externen Konflikten mit deinem Partner manifestieren.

Außerdem beeinflusst Selbstbewusstsein deine Fähigkeit, Grenzen zu setzen. Wenn du deine Bedürfnisse und Wünsche nicht vollständig verstehst, könntest du Schwierigkeiten haben, in einer Beziehung deine Grenzen zu setzen und zu kommunizieren. Ebenso könntest du, wenn du dir deiner Unsicherheiten nicht bewusst bist, Gefahr laufen, sie auf deinen Partner zu projizieren und unnötige Spannungen zu schaffen.

Schließlich gibt es einen Aspekt des Selbstbewusstseins, der damit zu tun hat, wie wir unsere Zukunft sehen. Wenn du nicht sicher bist, wer du bist und was du vom Leben willst, kann es schwierig sein, eine Zukunft mit einem Partner zu planen. Und obwohl es wahr ist, dass sich alle im Laufe der Zeit verändern und entwickeln, gibt dir ein klares Bild von dir selbst eine solide Grundlage, auf der du sowohl als Individuum als auch in einer Partnerschaft aufbauen kannst.

Selbstbewusstsein ist kurz gesagt nicht nur ein Werkzeug zur Verbesserung deiner Beziehungen; es ist ein Kompass, der dich durch das Leben führt und dir hilft, Herausforderungen und Chancen mit Klarheit und Mut zu bewältigen.

Selbstbewusstsein beschränkt sich nicht auf ein oberflächliches Verständnis von sich selbst, sondern vielmehr auf eine tiefe Erforschung der Tiefen deines Wesens. Es ist eine Reise, die zur Erleuchtung der dunkleren und weniger verstandenen Teile von uns selbst führt. Und in einem Beziehungskontext wird es zu einem unschätzbaren Werkzeug, um die komplexe Landkarte zwischenmenschlicher Interaktionen zu navigieren.

Denken wir zum Beispiel über die Herkunft unserer Erwartungen nach. Woher kommen sie wirklich? Sind sie das Ergebnis vergangener Erfahrungen, Verhaltensmuster, die wir bei unseren Eltern oder Erziehungsberechtigten beobachtet haben, oder werden sie vielleicht von einer sich ständig verändernden Kultur beeinflusst, die uns oft mit oft unerreichbaren Idealen bombardiert? Die Analyse, woher unsere Erwartungen kommen und wie sie unsere Interaktionen mit anderen beeinflussen, kann der Schlüssel sein, um toxische oder unproduktive Dynamiken abzubauen.

In gleicher Weise wird unsere Wahrnehmung der Realität stark von unserem Selbstbewusstsein beeinflusst. Zwei Personen können dasselbe Ereignis erleben und es aufgrund ihrer persönlichen Geschichten, Traumata, Freuden und Sorgen radikal unterschiedlich wahrnehmen. Die Fähigkeit zu erkennen, dass unsere Wahrnehmung nur eine von vielen möglichen Interpretationen der Realität ist, kann zu mehr Empathie und Verständnis in Beziehungen führen.

Selbstbewusstsein beeinflusst auch unsere physischen Reaktionen. Unser Körper drückt oft aus, was unser Geist möglicherweise nicht sofort erkennt. Zum Beispiel könnten wir Spannung im Rücken oder Magen spüren, wenn wir in Konfliktsituationen sind. Diese physischen Reaktionen sind Signale, die unser Körper sendet, und ihre Interpretation erfordert ein tiefes Selbstbewusstsein.

Ein weiterer wesentlicher Aspekt des Selbstbewusstseins betrifft unsere Fähigkeit, Feedback zu erhalten. Viele Menschen reagieren negativ oder gehen in die Defensive, wenn sie kritisiert oder negatives Feedback erhalten. Mit einem soliden Selbstbewusstsein können wir jedoch beginnen, dieses Feedback als Wachstumschancen zu sehen, anstatt es als persönliche Angriffe zu betrachten. Wir können uns fragen: "Was kann ich aus diesem Feedback lernen? Gibt es Wahrheit in dem, was gesagt wird, auch wenn es möglicherweise nicht konstruktiv ausgedrückt wird?"

Die Reise des Selbstbewusstseins ist auch nicht linear. Es gibt Zeiten, in denen wir uns tief verbunden und selbstbewusst fühlen, und andere, in denen wir uns verloren oder verwirrt fühlen. Dies ist besonders wahr, wenn wir große Veränderungen oder Traumata in unserem Leben durchmachen. Während dieser Zeiten kann unser Verständnis von uns selbst verschwommen oder verzerrt sein, aber gerade in diesen Momenten wird Selbstbewusstsein noch wichtiger.

Außerdem ist Selbstbewusstsein, obwohl es eine innere Ressource ist, nicht etwas, das wir alleine entwickeln müssen. Andere können als Spiegel fungieren und Teile von uns reflektieren, die wir möglicherweise nicht klar sehen. Durch ehrliche Gespräche, Therapie und andere Formen der Interaktion können wir weitere Einblicke in unser wahres Selbst und in unsere Art, wie wir uns mit der Welt um uns herum verhalten, gewinnen.

Letztendlich ist Selbstbewusstsein weit mehr als nur Selbstkenntnis; es ist eine enge und tiefe Verbindung zu jeder Nuance unseres eigenen Wesens, eine Art innerer Kompass, der uns durch das Labyrinth menschlicher Interaktionen und innerer Erfahrungen führt. Es ist die Fähigkeit, sich ehrlich anzusehen, sowohl die Lichter als auch die Schatten unserer Persönlichkeit zu erkennen und sie als Plattform für persönliches Wachstum und vertiefte Beziehungen zu nutzen.

Es erstreckt sich weit über das Erkennen unserer eigenen Emotionen hinaus und geht in die Entschlüsselung der Wurzeln dieser Emotionen, der Erfahrungen, die sie geformt haben, und der Erwartungen, die aus ihnen resultieren. Es ist, als ob man ein Vergrößerungsglas auf sein Inneres gerichtet hätte, das es uns ermöglicht, unsere Reaktionsfähigkeit, unsere Wahrnehmungen und sogar die physischen Manifestationen unserer emotionalen Zustände tiefgehend zu analysieren. Was Selbstbewusstsein besonders wertvoll macht, ist jedoch nicht nur die Beobachtungsfähigkeit, sondern die sich daraus ergebende Anpassungsfähigkeit. Denn mit Bewusstsein kommt die Möglichkeit der Veränderung, der Neuausrichtung und der Weiterentwicklung.

Die Reise zur vollen Selbstbewusstheit ist von Herausforderungen und Enthüllungen geprägt. Es kann erfordern, unangenehme Wahrheiten anzugehen, bietet aber auch die Möglichkeit, sich von unsichtbaren Lasten zu befreien, die uns oft bremsen. Und während diese Reise alleine unternommen werden kann, wird sie oft durch Interaktionen mit anderen bereichert und verstärkt, die sowohl als Spiegel als auch als Führer dienen können, Aspekte von uns selbst reflektieren und beleuchten, die sonst verborgen bleiben könnten.

Die Bedeutung von Selbstbewusstsein zu erkennen und anzunehmen, verbessert nicht nur die Qualität unserer zwischenmenschlichen Beziehungen, sondern erhöht auch die Qualität unserer Lebenserfahrung, indem es Klarheit, Richtung und ein tiefes Gefühl der Verbindung mit unserem authentischen Selbst bietet. In einer sich schnell verändernden Welt und angesichts ständiger äußerer Drucke wird die Pflege dieser inneren Verbindung nicht nur zu einer

Handlung der Selbstliebe, sondern zu einer grundlegenden Notwendigkeit, um mit Widerstandsfähigkeit und Absichtlichkeit zu navigieren.

2. Selbstwert

Erinnere immer deinen Wert. Die Selbstliebe ist der Schlüssel, um jemanden anzuziehen, der dich für das liebt, was du bist.

Die **Selbstachtung** repräsentiert den inneren Wert, den wir uns selbst zuschreiben, die Anerkennung unserer Würde, Kompetenz und Bedeutung in der Welt. Sie ist das Fundament, auf dem wir unsere Beziehungen aufbauen und mit der äußeren Welt interagieren. Bei der Suche nach einem Partner ist eine gesunde Selbstachtung entscheidend. Sie beeinflusst nicht nur unsere Fähigkeit, uns selbst am besten zu präsentieren, sondern definiert auch die Dynamik und Qualitäten der Menschen, die wir in unser Leben ziehen.

Die Wurzeln des Selbstwertgefühls

Unsere Selbstachtung beginnt sich in der frühen Kindheit zu formen. Die ersten Interaktionen, die Reaktionen unserer Eltern oder Betreuer und die ersten Erfahrungen von Erfolg oder Misserfolg prägen unsere Selbstwahrnehmung. Wenn wir in einer

Umgebung aufwachsen, in der Lob und ehrliche Anerkennung vorhanden sind, entwickeln wir ein grundlegendes Vertrauen in unsere Fähigkeiten. Im Gegensatz dazu können negative Erfahrungen, übermäßige Kritik oder ein Mangel an Unterstützung dazu führen, dass wir an uns selbst zweifeln.

Die Bedeutung von Selbstachtung in Beziehungen

Eine angemessene Selbstachtung hat einen direkten Einfluss darauf, wie wir uns zu anderen verhalten. Wenn wir uns selbst positiv sehen, neigen wir eher dazu, zu glauben, dass auch andere das tun. Diese Perspektive ermöglicht es uns, in eine Beziehung einzutreten, ohne ständig nach Bestätigung oder Beruhigung zu suchen. Sie gibt uns die Stärke, klare und gesunde Grenzen zu setzen, da wir wissen, dass wir Respekt und Anerkennung verdienen.

Ebenso ist es natürlich, wenn wir uns selbst lieben und respektieren, nach einem Partner zu suchen, der dasselbe tut. Anstatt sich mit Beziehungen zufriedenzugeben, die schädlich sein könnten oder weniger befriedigend sind, haben wir Klarheit und Sicherheit bei der Suche nach Beziehungen, die wirklich bereichernd für beide Seiten sind.

Selbstachtung vs. Ego

Es ist wichtig, zwischen Selbstachtung und Ego zu unterscheiden. Das Ego basiert oft auf einer äußeren Wahrnehmung, auf dem Bild, das wir der Welt präsentieren möchten. Es kann zerbrechlich sein und stark von externer Anerkennung abhängen. Die Selbstachtung hingegen kommt von innen und basiert auf einem tiefen und echten Verständnis des eigenen Werts. Sie hängt nicht von äußeren Erfolgen oder Lob ab, sondern von einem soliden Kern der Selbstakzeptanz.

Die Pflege der Selbstachtung

Die Pflege der Selbstachtung ist ein fortlaufender Prozess. Es kann erforderlich sein, alte Wunden zu heilen oder begrenzende Glaubenssätze über sich selbst herauszufordern. Einige Strategien zur Stärkung der Selbstachtung sind:

1. **Selbstreflexion**: Nehme dir Zeit, um über dich selbst nachzudenken, deine Erfolge anzuerkennen und aus Fehlern zu lernen.

2. **Selbstmitgefühl**: Behandle dich selbst mit derselben Freundlichkeit und Verständnis, die du einem lieben Freund entgegenbringen würdest.

3. **Setzen von Grenzen**: Erkenne an, was für dich in Beziehungen akzeptabel ist und handle entsprechend.

4. **Umgib dich mit positiven Menschen**: Sei achtsam bei der Auswahl der Menschen, mit denen du Zeit verbringst. Ein unterstützendes Umfeld kann Wunder für deine Selbstachtung bewirken.

Zusammenfassend verbessert eine gesunde Selbstachtung nicht nur Beziehungen, sondern hebt auch die Gesamtqualität des Lebens. Durch die Anerkennung und Wertschätzung des eigenen Wertes schafft man eine solide Grundlage für authentische und bedeutungsvolle Beziehungen. Die Liebe zu sich selbst ist tatsächlich der erste Schritt, um echte Liebe zu empfangen und zu geben.

Die Selbstachtung ist wie ein Muskel, der regelmäßiges Training erfordert, um stark und gesund zu bleiben. Genau wie ein Athlet sich seiner Disziplin widmet, muss jeder Einzelne sich bemühen, eine positive Selbstwahrnehmung zu entwickeln. Dies bedeutet nicht, die eigenen Schwächen zu leugnen oder zu unterdrücken, sondern sie zu erkennen, zu akzeptieren und daran zu arbeiten, sie zu überwinden.

Jede Erfahrung, sei es positiv oder negativ, kann als Wachstumslektion genutzt werden. Nehmen wir zum Beispiel Enttäuschungen oder Misserfolge. Diese Erfahrungen können, wenn sie mit einer Wachstumsmentalität angegangen werden, Möglichkeiten bieten, das Selbstwertgefühl zu stärken. Anstatt sich selbst zu kritisieren oder sich in

Selbstmitleid zu ergehen, kann man sich fragen: "Was kann ich aus dieser Situation lernen? Wie kann ich es beim nächsten Mal besser machen?" Diese Art der Reflexion verwandelt Hindernisse in Chancen und ermöglicht eine kontinuierliche Reifung.

Neben der persönlichen Reflexion ist es wichtig, die Umgebung, in der man sich befindet, in Betracht zu ziehen. Wir leben in einer Zeit, die von Medien und der Kultur des Ruhms dominiert wird, in der wir ständig mit Bildern von "Perfektion" bombardiert werden. Dies kann unrealistische Erwartungen schaffen und das Selbstwertgefühl belasten. Es ist entscheidend zu erkennen, dass viele dieser Ideale konstruiert sind und nicht die Realität des täglichen Lebens widerspiegeln.

Darüber hinaus kann die Praxis der Dankbarkeit unglaublich wirkungsvoll bei der Pflege einer gesunden Selbstachtung sein. Die Konzentration auf das, was man hat, anstatt auf das, was fehlt, ändert die Perspektive. Das tägliche Aufschreiben von drei Dingen, für die man dankbar ist, kann die positive Selbstwahrnehmung von sich selbst und der umgebenden Welt stärken.

Ein weiterer Aspekt, der berücksichtigt werden sollte, ist die Verbindung zwischen Selbstachtung und Authentizität. Sich selbst treu zu sein, die eigenen Gefühle und Wünsche zu ehren, bildet ein solides Fundament für den Aufbau einer robusten Selbstachtung. Oft neigt man aus dem Wunsch nach

Zugehörigkeit oder aus Angst vor Ablehnung dazu, in die Falle zu tappen, den Erwartungen anderer zu entsprechen und den Kontakt zum wahren Selbst zu verlieren. Auf lange Sicht kann diese Entfremdung das Selbstvertrauen ernsthaft untergraben. Daher ist es unerlässlich, die eigene Authentizität zu suchen und zu schätzen.

Schließlich, obwohl Selbstachtung tief persönlich ist, ist sie keine Insel. Sie wird von den täglichen Interaktionen und Beziehungen beeinflusst. Von Menschen umgeben zu sein, die an einen glauben, einen unterstützen und ermutigen, kann Wunder für die Selbstachtung bewirken. Im Gegensatz dazu können giftige oder negative Beziehungen das Selbstwertgefühl tiefgreifend schädigen. Daher ist die sorgfältige Auswahl derjenigen, mit denen man Zeit verbringt, und das Pflegen positiver und konstruktiver Beziehungen entscheidend, um das eigene Wertgefühl zu nähren und zu schützen.

L'autostima, nella sua essenza, è un barometro interno del proprio valore percepito. Questo valore non è definito dalle realizzazioni esterne, dalla ricchezza, dall'aspetto o dallo status, ma dalla profonda convinzione intrinseca del proprio merito come individuo. Questo senso di valore determina non solo come ti vedi, ma anche come interagisci con il mondo e come ti aspetti di essere trattato dagli altri.

Ogni decisione, azione e reazione che manifestiamo ha le sue radici nella nostra autostima. Se ci vediamo in una luce positiva, le nostre decisioni saranno influenzate dalla fiducia e dalla convinzione. Se ci vediamo in una luce meno favorevole, potremmo trovarci a compiere scelte basate sulla paura, sull'insicurezza o sul bisogno di approvazione esterna.

Da un punto di vista evolutivo, il desiderio di appartenere e di essere accettati è fondamentale. Tuttavia, in un mondo sempre più interconnesso e influenzato dai media, questo bisogno di appartenenza può diventare distorto, portando a misurare il proprio valore attraverso metri esterni come 'likes' sui social media o approvazione altrui. Questa esternalizzazione del valore può portare a un ciclo di continua insoddisfazione, poiché questi metri sono effimeri e in costante mutamento.

Invece, la vera autostima radicata proviene dalla connessione con il proprio nucleo interno, dall'accettazione dei propri difetti e imperfezioni e dalla celebrazione delle proprie unicità. Ogni individuo ha un insieme unico di esperienze, talenti, sfide e visioni che lo rendono irripetibile. Riconoscere e onorare questa unicità è la chiave per una sana autostima.

È anche importante notare che l'autostima non è statica. Può fluttuare e cambiare a seconda delle circostanze, delle esperienze e delle fasi della vita. Come qualsiasi altra abilità o risorsa, necessita di cura e manutenzione. Questo richiede un impegno attivo nell'auto-riflessione, nell'auto-compassione e nell'auto-miglioramento.

Per concludere, l'autostima è il fondamento su cui si costruisce una vita appagante. Quando ci vediamo attraverso una lente d'amore e di rispetto, siamo meglio attrezzati per affrontare le sfide, celebrare i successi, stabilire relazioni sane e perseguire i nostri sogni con determinazione e coraggio. Pertanto, investire nel coltivare una sana autostima non è solo un atto di autoamore, ma un impegno verso una vita di qualità, significato e profonda soddisfazione.

L'ascolto attivo è una delle abilità più preziose e spesso trascurate nella comunicazione interpersonale. Al contrario di un ascolto passivo, dove si potrebbe essere fisicamente presenti ma mentalmente assenti, l'ascolto attivo richiede una partecipazione completa sia a livello mentale che emotivo. Questo approccio non solo migliora le interazioni quotidiane, ma può anche rafforzare e approfondire le relazioni romantiche.

La Natura dell'Ascolto Attivo

L'ascolto attivo non si limita a sentire le parole pronunciate dall'altro. Si tratta di captare l'essenza di ciò che viene comunicato, compresi i sentimenti e le emozioni sottostanti. Questo tipo di ascolto implica una serie di comportamenti e atteggiamenti specifici:

1. **Attenzione completa**: Eliminare le distrazioni, come telefoni o pensieri vaganti, per concentrarsi completamente sull'altro. La presenza mentale è essenziale.
2. **Feedback non verbale**: Usare gesti come annuire, mantenere il contatto visivo e avere un'espressione facciale reattiva per mostrare al partner che sei coinvolto nella conversazione.
3. **Parafra si e chiarimenti**: Periodicamente, ripeti in sintesi ciò che hai sentito o chiedi chiarimenti per assicurarti di aver compreso correttamente.
4. **Evitare interruzioni**: Offri al partner lo spazio per esprimersi pienamente senza interrompere o completare le sue frasi.
5. **Risposta empatica**: Mostra comprensione e compassione per i sentimenti e le prospettive dell'altro, anche se non sei d'accordo.

Benefici nell'Ambito delle Relazioni Romantiche

In una relazione amorosa, l'ascolto attivo può avere impatti profondi:

- **Comprensione profonda**: Ti permette di entrare veramente nel mondo emotivo del tuo partner, creando una connessione più profonda.
- **Risoluzione dei conflitti**: Facilita la comprensione delle preoccupazioni dell'altro e apre la via a soluzioni costruttive.
- **Crescita congiunta**: Offre opportunità per imparare l'uno dall'altro e crescere insieme come coppia.

- **Diminuzione dei malintesi**: Riduce le probabilità di fraintendimenti e comunicazioni errate.
- **Validazione**: Fornisce al partner la sensazione di essere ascoltato, apprezzato e compreso.

Oltre le Parole

In molti casi, ciò che non viene detto può essere altrettanto rivelatore di ciò che viene pronunciato. I toni vocali, la postura, le espressioni facciali e la linguaggio del corpo in generale sono tutte componenti essenziali del messaggio. Un ascoltatore attivo sa come interpretare questi segnali non verbali e utilizzarli per migliorare la comprensione della comunicazione.

In sintesi, mettere in pratica l'ascolto attivo nelle relazioni romantiche non solo dimostra interesse e cura, ma costruisce un ponte di connessione tra i partner. In un mondo in cui siamo spesso distratti e oberati da stimoli, prendersi il tempo e fare lo sforzo di ascoltare veramente è un regalo inestimabile che si può offrire al proprio partner. E in cambio, può arricchire e rafforzare il legame d'amore in modi inimmaginabili.

L'ascolto attivo, nella sua essenza, trascende la semplice percezione uditiva. Si tratta di una pratica che richiede sia competenza cognitiva che emotiva, rendendo l'interazione un'esperienza mutualmente arricchente.

Quando parliamo di competenza cognitiva, ci riferiamo alla capacità di elaborare le informazioni, di discernere tra fatti, opinioni e sentimenti e di costruire una risposta adeguata. Questo tipo di competenza è fondamentale, specialmente nelle relazioni romantiche, dove spesso le conversazioni si tuffano in territori complessi e delicati. Senza un'adeguata elaborazione cognitiva, si corre il rischio di offrire risposte automatiche o superficiali che possono non essere pertinenti o, peggio, dannose.

Dal lato emotivo, l'ascolto attivo comporta una connessione profonda con la propria vulnerabilità e con quella dell'altro. Questo significa entrare in contatto con le proprie emozioni e permettere loro di esistere senza giudizio. Quando si ascolta il proprio partner, si possono percepire emozioni come la paura, la gioia, la tristezza o la rabbia. Sentire queste emozioni senza reagire impulsivamente, ma piuttosto con empatia e comprensione, può essere una sfida ma è essenziale per una comunicazione efficace.

Un altro aspetto dell'ascolto attivo è la consapevolezza del proprio stato interno. A volte, ciò che ci impedisce di ascoltare veramente sono le nostre proiezioni, preconcetti o pregiudizi. Potremmo, ad esempio, avere delle aspettative su ciò che il partner "dovrebbe" dire o sentire, basandoci su esperienze passate o su convinzioni personali. Queste aspettative possono creare distorsioni nella nostra capacità di ascoltare, portandoci a percepire ciò che vogliamo sentire piuttosto che ciò che viene effettivamente comunicato.

È anche importante riconoscere che l'ascolto attivo non significa necessariamente essere d'accordo con ciò che viene detto. Si può ascoltare, comprendere e ancora non concordare. La bellezza dell'ascolto attivo sta nel riconoscere e validare l'esperienza dell'altro senza necessariamente adottarla come propria.

Nelle relazioni romantiche, dove le emozioni sono spesso amplificate e dove ci sono molti livelli di intimità in gioco, l'ascolto attivo può essere la chiave per navigare nelle acque talvolta tumultuose della comunicazione. Può prevenire malintesi, ridurre tensioni e costruire un senso di sicurezza e fiducia tra i partner.

Inoltre, nella nostra era digitale, dove la comunicazione faccia a faccia è sempre più rara, l'importanza dell'ascolto attivo non può essere sottovalutata. Quando ci si prende il tempo per mettere da parte le distrazioni digitali e concentrarsi veramente sull'altro, si invia un messaggio potente: "Tu sei importante per me". E in una relazione, questo riconoscimento può fare la differenza tra sentirsi soli insieme e sentirsi profondamente connessi.

L'ascolto attivo, come abbiamo esplorato, è un'abilità che va ben oltre il semplice udire parole: rappresenta un impegno profondo nella comprensione e connessione con l'interlocutore. Questa forma avanzata di comunicazione è ancor più cruciale nelle relazioni romantiche, dove i dettagli e le sfumature delle interazioni hanno ramificazioni significative nella dinamica della coppia.

Ogni volta che pratichiamo l'ascolto attivo, facciamo un investimento nella nostra relazione. Si tratta di un impegno che dice: "Mi preoccupo di te, dei tuoi pensieri e dei tuoi sentimenti. Mi prendo il tempo necessario per comprenderti, anche quando non sono d'accordo, anche quando ciò che dici mi mette alla prova o mi sfida." Questa è la natura intrinseca e potente dell'ascolto attivo.

Un punto fondamentale da considerare è che l'ascolto attivo non è un'abilità che si possiede o non si possiede, ma piuttosto un'abilità che si coltiva e si affina nel tempo. Come ogni abilità, richiede pratica, pazienza e dedizione. Le persone potrebbero non diventare ascoltatori attivi perfetti all'istante, ma ogni passo fatto in questa direzione rappresenta un progresso nella costruzione di legami più solidi e significativi.

Nelle relazioni romantiche, l'ascolto attivo può funzionare come un balsamo per ferite passate o incomprensioni. Può trasformare discussioni cariche di tensione in dialoghi costruttivi. Quando le persone si sentono ascoltate e comprese, sono più inclini a restituire il favore, creando un ciclo virtuoso di comunicazione sana e costruttiva.

Infine, non bisogna dimenticare l'importanza di essere compassionevoli con se stessi nel processo. Ci saranno momenti in cui si potrà fallire nel mettere in pratica l'ascolto attivo, ma ogni errore rappresenta un'opportunità di apprendimento. Con il tempo, la dedizione e l'impegno, l'ascolto attivo può diventare una seconda natura, elevando la qualità delle interazioni e rafforzando la base su cui si costruisce una relazione romantica profonda e duratura.

4. Comunicazione efficace Apre le porte a una relazione sana e stabile. Condividi i tuoi sentimenti, ma ascolta anche quelli del tuo partner.

La comunicazione efficace è il pilastro su cui si costruisce una relazione di successo. È il mezzo attraverso il quale i partner esprimono desideri, bisogni, paure e sogni. In assenza di una comunicazione chiara ed efficace, le relazioni possono diventare stagnanti, piene di incomprensioni e conflitti non risolti.

Caratteristiche della Comunicazione Efficace

1. Chiarezza: La chiarezza è essenziale. Evitare di girare intorno al problema e essere diretti (pur mantenendo la gentilezza) aiuta a prevenire fraintendimenti.

2. Asertività: Esprimere ciò che si sente e ciò di cui si ha bisogno senza essere aggressivi. L'asertività non significa imporre il proprio punto di vista, ma piuttosto comunicare in modo sincero e rispettoso.

3. Empatia: Mettersi nei panni dell'altro. Questo aiuta a comprendere il punto di vista del partner, rendendo la comunicazione più bilanciata e comprensiva.

4. Ascolto: Come discusso in precedenza, l'ascolto attivo è una parte fondamentale della comunicazione. Non basta aspettare il proprio turno per parlare, bisogna veramente ascoltare ciò che l'altro ha da dire.

5. Evitare l'accusa: Usare dichiarazioni in prima persona come "Mi sento..." invece di puntare il dito e dire "Tu sempre...". Questo riduce la probabilità che l'altro si metta sulla difensiva.

6. Feedback costruttivo: Se hai delle critiche o dei suggerimenti, presentali in modo costruttivo. Concentrati su come risolvere il problema piuttosto che attribuire colpe.

L'importanza della Comunicazione Nelle Relazioni Romantiche

In una relazione, la comunicazione va ben oltre le parole pronunciate. Il linguaggio del corpo, il tono della voce e persino il silenzio hanno significati profondi. Una comunicazione efficace permette a entrambi i partner di sentirsi visti, ascoltati e compresi.

Quando c'è un disaccordo o un conflitto, la capacità di comunicare efficacemente può fare la differenza tra una risoluzione costruttiva e un litigio prolungato.

D'altra parte, condividere momenti di gioia e successi attraverso una comunicazione aperta e sincera rafforza il legame e aumenta l'intimità tra i partner.

La comunicazione non riguarda solo gli argomenti seri o i momenti di crisi. Anche le chiacchiere quotidiane, gli aneddoti condivisi e i piccoli gesti di affetto verbale sono fondamentali per mantenere vivo il rapporto.

Inoltre, con l'avvento della tecnologia, la comunicazione ha assunto nuove forme. Messaggi di testo, videochiamate e altri mezzi digitali sono diventati strumenti comuni nelle relazioni moderne. Se utilizzati correttamente, possono migliorare la connessione, ma è essenziale non permettere che sostituiscano la comunicazione faccia a faccia.

Nel complesso, una comunicazione efficace è un'abilità che può essere appresa e affinata. Come qualsiasi altra abilità, richiede pratica, consapevolezza e impegno. Ma il ritorno sull'investimento, in termini di una relazione amorevole, sana e soddisfacente, è incommensurabile.

Ogni volta che due individui interagiscono, c'è un flusso continuo di comunicazione, sia essa verbale che non verbale. Nelle relazioni romantiche, questo flusso può essere arricchito o interrotto a seconda di come si gestisce la comunicazione.

Pensiamo, ad esempio, alla capacità di decodificare il linguaggio del corpo. Gli occhi, spesso descritti come le "finestre dell'anima", possono comunicare una vasta gamma di emozioni: amore, rabbia, tristezza, desiderio o confusione. Una carezza, un abbraccio, persino il modo in cui i partner si tengono per mano, possono trasmettere messaggi profondi, a volte più potenti delle parole stesse. Riconoscere e interpretare questi segnali sottili può migliorare la comprensione reciproca.

Ma la comunicazione non è solo una questione di trasmissione; è anche una questione di ricezione. Spesso, ciò che interrompe una comunicazione efficace non è ciò che viene detto, ma ciò che viene percepito. Filtro, giudizio, preconcetti, esperienze passate: tutti questi elementi possono colorare e distortare la percezione di un messaggio. Ad esempio, un commento innocente può essere percepito come critico se filtrato attraverso vecchie ferite o insicurezze.

La cultura e il background di ciascun individuo giocano anche un ruolo fondamentale. Una stessa frase o gesto può avere significati diversi a seconda del contesto culturale o familiare di appartenenza. Queste differenze, se non riconosciute e gestite, possono causare fraintendimenti, ma se comprese e celebrate, possono arricchire la relazione.

Inoltre, c'è l'arte del "timing" nella comunicazione. Conoscere il momento giusto per avviare una conversazione delicata può fare la differenza tra una discussione produttiva e un conflitto. Ci sono momenti in cui è meglio rimandare una conversazione, soprattutto se uno dei partner è stressato, stanco o sopraffatto.

Un altro aspetto fondamentale è la capacità di gestire i conflitti. Contrariamente a una credenza comune, i conflitti non sono necessariamente dannosi per una relazione; in effetti, se gestiti correttamente, possono portare a una maggiore comprensione e crescita reciproca. La chiave è affrontare i disaccordi con rispetto, evitando l'aggressione o la passività e cercando invece una comunicazione asertiva.

Ci sono anche situazioni in cui ciò che non viene detto ha più peso di ciò che viene effettivamente espresso. I silenzi, le omissioni o le reticenze possono creare barriere invisibili tra i partner. Questi "spazi vuoti" nella comunicazione possono essere colmati solo con l'apertura, la vulnerabilità e la volontà di condividere.

Nel mondo moderno, dove siamo costantemente bombardati da informazioni e distrazioni, trovare il tempo e lo spazio per una comunicazione autentica con il partner può sembrare una sfida. Tuttavia, è proprio in questi momenti di connessione profonda e sincera che una relazione può fiorire e prosperare. È come se ogni conversazione, ogni scambio, ogni sguardo condiviso fosse un mattone nella costruzione di un legame solido e durevole tra i partner.

La comunicazione tra due individui non è un mero scambio di parole; è un dialogo intricato che coinvolge emozioni, esperienze passate, aspettative future e molto altro. Una vera comprensione della natura complessa della comunicazione può aiutare a navigare attraverso le acque talvolta turbolente delle relazioni romantiche.

Il **contesto** in cui avviene la comunicazione può avere un impatto significativo sul suo esito. Ad esempio, discutere di un argomento delicato in un luogo affollato e rumoroso potrebbe non essere altrettanto efficace quanto farlo in un ambiente tranquillo e privato. L'ambiente può influenzare la capacità di una persona di concentrarsi, ascoltare e rispondere in modo appropriato.

La **consapevolezza emotiva** è un altro aspetto cruciale. Riconoscere le proprie emozioni e quelle del partner può fare la differenza tra una discussione costruttiva e un conflitto dannoso. È essenziale essere in sintonia con se stessi, riconoscendo quando si potrebbe essere troppo emotivi per affrontare una conversazione e quando potrebbe essere il momento giusto.

Inoltre, la **pazienza** gioca un ruolo centrale. Non tutte le conversazioni porteranno a una risoluzione immediata. Alcune questioni potrebbero richiedere più di una discussione. A volte, potrebbe essere necessario fare una pausa, riflettere e poi riprendere il dialogo con una mentalità rinnovata.

Le **abilità di negoziazione** sono altrettanto cruciali. Nelle relazioni, raramente si tratta di "vincere" una discussione. Piuttosto, l'obiettivo dovrebbe essere trovare un terreno comune, negoziare compromessi e lavorare insieme per una soluzione che soddisfi entrambe le parti. Questo potrebbe richiedere flessibilità, empatia e la volontà di vedere le cose da una prospettiva diversa.

Un altro elemento fondamentale è la **rete di supporto** di una persona. A volte, discutere di un problema con un amico o un familiare fidato può offrire nuove prospettive e suggerimenti su come affrontare una situazione. Questi individui possono fungere da sounding board, aiutando a chiarire pensieri ed emozioni.

La **crescita personale e l'auto-riflessione** sono anche parti integranti della comunicazione. A volte, i problemi di comunicazione radicano in questioni più profonde o insicurezze personali. Dedicare del tempo all'autoanalisi e alla crescita personale può migliorare non solo la comunicazione ma anche l'intera dinamica della relazione.

Infine, l'**educazione e l'apprendimento continuo** possono fornire strumenti e tecniche per migliorare la comunicazione. Che si tratti di leggere libri, partecipare a workshop o consultare un terapista di coppia, l'acquisizione di nuove competenze può arricchire e rafforzare la comunicazione all'interno della relazione.

La chiave sta nel riconoscere che la comunicazione è un viaggio, non una destinazione. È un processo in evoluzione che richiede impegno, attenzione e cura da entrambe le parti. Mentre le sfide sono inevitabili, le ricompense di una comunicazione efficace – comprensione, intimità e connessione profonda – sono inestimabili.

Comunicare efficacemente all'interno di una relazione non è solo un'abilità, ma una vera e propria arte. È un delicato equilibrio tra ascolto e parlare, comprendere e essere compresi, e rispettare e sentirsi rispettati.

Profondità e chiarezza: Al centro della comunicazione efficace c'è la capacità di esprimere i propri pensieri e sentimenti con chiarezza. Questo non significa solo trovare le parole giuste, ma anche avere il coraggio di esporre le proprie vulnerabilità. La chiarezza richiede di scavare in profondità dentro di sé, di analizzare le proprie emozioni e di condividerle in modo che il partner possa comprenderle realmente.

Feedback e validazione: Non si tratta solo di trasmettere messaggi, ma anche di confermare che tali messaggi siano stati ricevuti e compresi. Questo feedback può venire attraverso l'ascolto attivo, come ripetere ciò che è stato detto per assicurarsi di averlo compreso, o attraverso gesti non verbali come il contatto visivo o un tocco rassicurante.

Gestione dei conflitti: La comunicazione non è solo importante quando tutto va bene, ma è vitale durante i conflitti. È in questi momenti di tensione che una comunicazione efficace può prevenire fraintendimenti e rotture. L'obiettivo non dovrebbe mai essere di "vincere" una discussione, ma di raggiungere una comprensione reciproca e, se necessario, trovare un compromesso.

Oltre le parole: La comunicazione va oltre le semplici parole. Il tono di voce, il linguaggio del corpo, e perfino le pause possono trasmettere significati profondi. Essere consapevoli di questi segnali non verbali può migliorare notevolmente la qualità delle interazioni.

Continuo apprendimento: Le relazioni sono dinamiche e cambiano nel tempo. Ciò che funziona in termini di comunicazione oggi potrebbe non funzionare domani. È essenziale che entrambi i partner siano impegnati in un percorso di apprendimento e adattamento continuo, per assicurarsi che la comunicazione resti fluida e autentica.

In conclusione, una comunicazione efficace è la spina dorsale di ogni relazione sana. È l'elemento chiave che permette alle coppie di costruire e mantenere la fiducia, superare le sfide, e coltivare una connessione profonda e significativa. Mentre ogni coppia avrà il proprio stile unico di comunicazione, ciò che è universale è l'importanza di investire tempo, energia e attenzione per assicurarsi che la comunicazione sia sempre al suo meglio. Attraverso l'ascolto, la comprensione, e la condivisione, le coppie possono costruire un legame che dura nel tempo e che si rafforza con ogni conversazione.

5. Onestà e trasparenza Una base solida si costruisce sulla verità. Non avere paura di mostrare le tue vulnerabilità.

L'onestà e la trasparenza sono principi fondamentali nella creazione e nel mantenimento di una relazione d'amore sana e duratura. Questi principi non sono soltanto legati alla veridicità delle parole, ma anche a come ci si presenta nella relazione e come si affrontano le proprie emozioni e le proprie insicurezze.

La fiducia come fondamento: L'onestà è la chiave per costruire una fiducia solida. Quando entrambi i partner sanno che possono contare l'uno sull'altro per dire la verità, anche quando fa male, si crea un ambiente di sicurezza e di fiducia. Questa fiducia diventa il terreno fertile su cui cresce l'amore vero e profondo.

Autenticità: La trasparenza riguarda l'autenticità. Essere trasparenti significa essere veri, senza maschere o facciate. Significa permettere al proprio partner di vedere chi si è veramente, con tutte le imperfezioni, paure e desideri. Questo grado di vulnerabilità può essere spaventoso, ma è anche incredibilmente liberatorio e può portare a una connessione molto più profonda.

Confrontarsi con le proprie ombre: Tutti hanno parti di sé che preferirebbero nascondere, forse per paura di essere giudicati o respinti. Ma nascondere queste parti può creare distanza e disconnessione nella relazione. Condividere le proprie insicurezze e paure con il partner può non solo alleviare il peso di tali emozioni, ma può anche aprire la porta alla comprensione e al sostegno reciproco.

Risolvere i conflitti: Non è raro evitare discussioni difficili o scomode per paura di causare conflitti. Tuttavia, evitare queste conversazioni può portare a malintesi e risentimenti. L'onestà e la trasparenza, anche quando sono difficili, possono aiutare a prevenire questi problemi e a risolvere i conflitti in modo costruttivo.

Definire i confini: Essere onesti e trasparenti non significa dover condividere ogni singolo dettaglio della propria vita o sentirsi obbligati a rispondere a ogni domanda. È importante stabilire confini chiari e comunicarli al partner. La trasparenza significa anche essere chiari su ciò che si è disposti a condividere e su ciò che si preferisce tenere privato.

Crescita e apprendimento: Come in tutte le parti di una relazione, l'onestà e la trasparenza sono un percorso, non una destinazione. Ci saranno momenti in cui potrebbe essere difficile essere completamente aperti, ma questi sono anche momenti di crescita e apprendimento. Con il tempo, l'apertura e la sincerità possono diventare più facili e naturali, approfondendo la connessione tra i partner.

In conclusione, l'onestà e la trasparenza sono più di semplici parole o azioni; sono valori fondamentali che possono definire la qualità e la profondità di una relazione. Attraverso l'onestà e la trasparenza, le coppie possono costruire una fondazione solida basata sulla fiducia, sull'intimità e sulla comprensione reciproca. In un mondo in cui la superficialità è spesso premiata, avere il coraggio di essere veri e aperti con il proprio partner può essere una delle cose più potenti e gratificanti che si possono fare.

L'onestà e la trasparenza, come qualità inestimabili, sono le colonne portanti che sorreggono il tempio delle relazioni durevoli. Esplorando ulteriormente questi concetti, emergono altre sfumature e dettagli che meritano di essere considerati.

Aspettative chiare: Quando si è onesti e trasparenti, si riesce a stabilire aspettative chiare in una relazione. Ciò evita malintesi e delusioni, poiché entrambe le parti sono consapevoli di ciò che l'altro desidera e si aspetta. Questa chiarezza facilita la navigazione attraverso le acque talvolta turbolente della convivenza e dell'intimità.

Verità difficile vs. Omissione: A volte, l'onestà può portare a verità scomode. Ma è fondamentale ricordare che una verità scomoda è sempre preferibile all'omissione. L'omissione, o il ritardo nel comunicare una verità, può portare a problemi ancora maggiori in seguito. Anche se sul momento può sembrare più facile evitare una conversazione scomoda, nel lungo termine, la verità tempestiva è spesso la via più semplice.

Connessione emotiva profonda: La trasparenza non riguarda solo la condivisione di fatti o dettagli, ma anche di emozioni. Condividere come ci si sente, soprattutto in momenti di vulnerabilità, può portare a una connessione emotiva più profonda. Questa connessione può agire come un collante, mantenendo la coppia unita anche durante tempeste emotive.

Benefici per la salute mentale: Essere onesti e trasparenti può anche avere benefici tangibili per la salute mentale. Nascondere la verità o indossare una maschera può essere psicologicamente faticoso. Eliminare questo peso attraverso la sincerità può portare a una sensazione di leggerezza e benessere.

Onestà reciproca: La trasparenza e l'onestà in una relazione incoraggiano anche l'altro partner a fare lo stesso. Questo può creare un ciclo positivo in cui entrambi i partner si sentono sicuri e incentivati a condividere apertamente.

Valorizzazione dell'integrità personale: Mostrarsi trasparenti e onesti, soprattutto quando è difficile, rafforza l'integrità personale. Questo senso di integrità non solo rafforza il proprio senso di autostima, ma fa anche capire al partner che si è persone di parola, su cui si può contare.

Rafforzamento della resilienza della coppia: Ogni volta che una coppia naviga attraverso una situazione difficile con onestà e trasparenza, diventano più forti come unità. Queste esperienze condivise rafforzano la loro resilienza e la loro capacità di affrontare sfide future.

Riconoscimento e accettazione dei propri errori: L'onestà richiede anche l'abilità di riconoscere e ammettere i propri errori. Questo non solo dimostra maturità, ma permette anche alla relazione di avanzare invece di rimanere bloccati in un ciclo di colpe e rimpianti.

In definitiva, l'onestà e la trasparenza non sono mere parole d'ordine da seguire, ma rappresentano un impegno costante e consapevole nella relazione. Se coltivate con cura, queste qualità possono elevare una relazione al di sopra delle normali aspettative, creando un legame che è tanto autentico quanto profondo.

L'approccio all'onestà e alla trasparenza in una relazione va ben oltre le convenzioni tradizionali e i consigli superficiali. Queste qualità svelano le profondità dell'animo umano e sono il riflesso delle esperienze vissute, delle paure affrontate e delle speranze nutrite.

Impatto sulla fiducia reciproca: Una relazione priva di sincerità può dare origine a dubbi e incertezze. La mancanza di trasparenza può portare all'instaurazione di una serie di meccanismi di difesa, come la gelosia, la diffidenza o l'insicurezza. Al contrario, l'onestà promuove un ambiente in cui la fiducia può prosperare, riducendo la necessità di tali meccanismi.

Evoluzione personale: Quando si pratica l'onestà, si evolve come individuo. Si sviluppa un senso di responsabilità verso se stessi e verso il partner. Si impara a riflettere prima di agire e a essere consapevoli delle proprie azioni e delle loro conseguenze sulla relazione.

Rinforzo del legame: Essere trasparenti riguardo ai propri sentimenti, paure e sogni può approfondire il legame con il partner. Questo permette di vedere oltre le apparenze, rivelando le profondità dell'animo di entrambi.

Navigare attraverso le sfide: Tutte le relazioni affrontano sfide. L'onestà e la trasparenza permettono di affrontare questi momenti difficili con una prospettiva chiara. Piuttosto che evitare i problemi o ignorarli, si affrontano direttamente, creando opportunità per crescere insieme come coppia.

Rispecchiamento di valori condivisi: L'onestà nella relazione è anche una testimonianza dei valori che entrambi i partner condividono. Questi valori, che possono riguardare l'integrità, il rispetto reciproco e la dedizione, diventano le pietre miliari su cui si costruisce la relazione.

Influenza sulle future generazioni: Quando si è in una relazione di lungo termine o in una famiglia, l'approccio all'onestà e alla trasparenza può avere un impatto anche sulle generazioni future. I bambini, ad esempio, apprendono osservando. Vedendo un modello di comportamento onesto e trasparente, sono più propensi a replicare questi comportamenti nelle loro future relazioni.

Benefici oltre la relazione: L'onestà e la trasparenza non beneficiano solo la relazione di coppia.

Possono influenzare positivamente anche le relazioni con amici, familiari e colleghi. Una persona che valuta l'importanza dell'onestà nella sua relazione di coppia tende a trasportare questi stessi principi nelle altre aree della sua vita.

Empatia e comprensione: Essere onesti riguardo ai propri sentimenti può aiutare il partner a comprendere meglio le proprie emozioni e reazioni. Questo grado di comprensione può portare a un maggiore livello di empatia, permettendo a entrambi di sostenersi a vicenda in modo più efficace.

Minimizzare le incomprensioni: La trasparenza riduce le possibilità di malintesi o interpretazioni errate. Condividere apertamente pensieri e sentimenti elimina le supposizioni e crea una narrativa chiara e condivisa.

La pratica dell'onestà e della trasparenza in una relazione è un viaggio, un processo continuo che richiede dedizione e impegno. Mentre ci si sforza di navigare attraverso le sfide, è importante ricordare che questi valori sono la bussola che può guidare una coppia verso acque più tranquille e profonde connessioni emotive.

L'onestà e la trasparenza, quando vengono incorporate come valori fondamentali in una relazione, fungono da catalizzatori per una connessione più profonda, genuina e significativa tra i partner. Queste qualità non sono solo semplici parole da dire o regole da seguire; rappresentano piuttosto un impegno e una scelta consapevole di vivere con integrità e autenticità nel contesto di un legame affettivo.

L'importanza di essere onesti risiede nella capacità di costruire una fiducia incondizionata. Questa fiducia, una volta instaurata, diventa la fondamenta sulla quale si possono affrontare le tempeste e le sfide che inevitabilmente emergono nel corso delle relazioni. L'onestà promuove la comprensione, riduce le ambiguità e le incomprensioni, e fornisce una chiara direzione verso la quale tendere, anche nei momenti più oscuri.

Parallelamente, la trasparenza si manifesta come una finestra sul mondo interiore di un individuo. Essere trasparenti significa permettere al partner di vedere oltre il velo delle apparenze, condividendo non solo le gioie ma anche le paure, le insicurezze e le vulnerabilità. Questo livello di apertura porta a una reciprocità emotiva, dove entrambi i partner si sentono valorizzati, compresi e, soprattutto, accettati per ciò che sono veramente.

Oltre a rafforzare il legame affettivo, l'onestà e la trasparenza influenzano anche la dinamica della relazione in termini di comunicazione. La capacità di comunicare apertamente, senza timore di giudizio o represaglia, incoraggia un dialogo sano e produttivo. Questo tipo di comunicazione agevola la risoluzione dei conflitti, favorisce la crescita personale e di coppia, e promuove un ambiente di sostegno reciproco.

Ma non bisogna dimenticare che, come ogni impegno, anche l'onestà e la trasparenza richiedono sforzo e dedizione. Esse richiedono il coraggio di guardare dentro se stessi, di riconoscere e ammettere i propri errori, e di avere la volontà di migliorare e evolvere. L'atto di essere onesti e trasparenti può, inizialmente, sembrare scomodo o addirittura doloroso, ma i benefici a lungo termine superano di gran lunga le difficoltà temporanee.

In conclusione, l'onestà e la trasparenza non sono semplicemente caratteristiche desiderabili in una relazione; sono essenziali. Essere onesti e trasparenti significa abbracciare l'autenticità, costruire una fiducia solida e promuovere una comunicazione aperta e sincera. Integrando questi valori nel tessuto stesso della relazione, si può aspirare a una connessione che è non solo duratura, ma anche profondamente arricchente e soddisfacente. E, in ultima analisi, non è forse questo l'obiettivo di ogni amore genuino?

6. Cultura e interessi Amplia i tuoi orizzonti. Leggi, viaggia, e impara. Sarai una persona più interessante con cui uscire.

Introduzione alla Cultura e agli Interessi in una Relazione

In un mondo sempre più interconnesso e globalizzato, la comprensione e l'apprezzamento della cultura e degli interessi vari possono arricchire in modo significativo le nostre vite e le nostre relazioni. Gli interessi personali e la consapevolezza culturale offrono una profondità e una dimensione aggiuntive alla nostra personalità, rendendoci individui più completi, empatici e interessanti. Ecco perché è essenziale esplorare e arricchire questi aspetti della nostra identità.

L'Influenza della Cultura e degli Interessi sulla Relazione

1. **Conversazioni Stimolanti:** Condividere conoscenze e passioni diverse con il partner può rendere le conversazioni più stimolanti e coinvolgenti. L'esplorazione di nuovi argomenti o la discussione di esperienze di viaggio può infondere nuova energia in una relazione.
2. **Crescita Personale:** L'apprendimento e la scoperta di nuove culture e interessi possono portare a una maggiore autoconsapevolezza e crescita personale. Puoi scoprire aspetti di te stesso che prima ignoravi, ampliando la tua visione del mondo e arricchendo la tua vita.
3. **Attività Condivise:** Condividere interessi comuni, come leggere lo stesso libro o pianificare un viaggio insieme, può rafforzare il legame tra i partner. Le attività condivise creano ricordi duraturi e permettono di trascorrere momenti di qualità insieme.
4. **Empatia e Comprensione:** La conoscenza e l'apprezzamento delle culture diverse dalla propria possono portare a una maggiore empatia e comprensione. Questo è particolarmente importante in relazioni interculturali, dove la comprensione delle differenze culturali può prevenire malintesi.

5. **Arricchimento dell'Esperienza di Vita:** Espandere i propri orizzonti attraverso la cultura e gli interessi può portare a una vita più ricca e soddisfacente. Ogni libro letto, ogni viaggio intrapreso e ogni nuova esperienza possono aggiungere strati di comprensione e apprezzamento alla tua vita.

Consigli per Integrare Cultura e Interessi nella Vita Amorosa

1. **Rimani Curioso:** Sii sempre aperto a nuove esperienze. Iscriviti a un corso, unisciti a un club del libro, o pianifica un viaggio in un luogo che hai sempre desiderato visitare.
2. **Comunicazione:** Parla con il tuo partner dei tuoi interessi e ascolta i suoi. Trova punti in comune o esplora nuove passioni insieme.
3. **Pianifica Date Creative:** Oltre ai tradizionali appuntamenti al cinema o a cena fuori, considera l'idea di visitare musei, partecipare a workshop culturali, o frequentare eventi legati ad arti performative.
4. **Sii Rispettoso:** Se il tuo partner proviene da una cultura diversa dalla tua, sii sempre rispettoso delle sue tradizioni e dei suoi valori. Cerca di apprendere e comprendere piuttosto che giudicare.
5. **Celebra la Diversità:** Abbraccia e celebra le differenze. Questo non solo arricchirà la tua relazione, ma amplierà anche la tua visione del mondo.

In conclusione, integrare la cultura e gli interessi nella propria vita e nella propria relazione può portare a una connessione più profonda e significativa con il partner.

Questo impegno nella crescita personale e nell'apprendimento reciproco può servire come fondamento solido per una relazione duratura e appagante.

Ogni volta che ci immergiamo in una nuova cultura o sviluppiamo un nuovo interesse, non solo ampliamo i nostri orizzonti, ma influenziamo anche il modo in cui interagiamo con il mondo e con le persone intorno a noi. Questo processo di apprendimento e crescita ha implicazioni profonde, soprattutto quando si tratta di relazioni amorose.

Una delle dimensioni più affascinanti della cultura e degli interessi è il modo in cui ci permettono di rivedere e reinterpretare le nostre esperienze passate. Ad esempio, la lettura di un romanzo ambientato in un paese straniero o l'apprendimento di una nuova lingua può farci riflettere sulle nostre avventure passate o sulle persone che abbiamo incontrato lungo il cammino. Questa rinnovata prospettiva può portare a una maggiore comprensione e apprezzamento per le esperienze passate e per le lezioni apprese.

Inoltre, quando condividiamo questi nuovi interessi o conoscenze culturali con il nostro partner, spesso ci troviamo a navigare in acque inesplorate. Questo può significare guardare un film straniero insieme e poi discutere delle differenze culturali, o magari partecipare a un corso di cucina di una determinata tradizione culinaria e poi ricreare quei piatti a casa. Questi momenti non solo servono a consolidare il legame tra i partner, ma offrono anche opportunità per creare nuovi ricordi e storie da raccontare.

La cultura e gli interessi, inoltre, hanno il potere di stimolare il cervello in modi unici. Quando apprendiamo qualcosa di nuovo o esploriamo una cultura diversa dalla nostra, si attivano diverse aree del cervello. Questa stimolazione può portare a una maggiore creatività, apertura mentale e capacità di problem solving. E queste qualità possono avere un impatto diretto su come affrontiamo le sfide e le gioie nelle nostre relazioni.

Considera anche l'adrenalina e l'eccitazione che proviamo quando immergiamo noi stessi in un nuovo hobby o quando viaggiamo in un luogo sconosciuto. Questa eccitazione può essere contagiosa. Condividere questa euforia con il proprio partner può rianimare la passione e l'intimità in una relazione, specialmente se entrambi siete coinvolti nell'esplorazione di qualcosa di nuovo.

Tuttavia, è anche importante riconoscere che non tutte le culture o gli interessi saranno allettanti o accattivanti per entrambi i partner. E questo è assolutamente normale. Quello che è fondamentale è il rispetto reciproco. Se, ad esempio, uno dei due è appassionato di arte moderna, mentre l'altro non la comprende o non la apprezza, l'importante è rispettare la passione dell'altro e, magari, cercare di capire cosa lo attrae in quel particolare interesse.

In ogni relazione, ci saranno sempre differenze, sia grandi che piccole. Ma è proprio attraverso la comprensione, la comunicazione e la condivisione di nuove esperienze che queste differenze possono diventare opportunità per una connessione più profonda e per la crescita reciproca.

La cultura e gli interessi non si limitano a ciò che è tangibile o immediatamente riconoscibile. Spesso, sono gli aspetti sottili e impercettibili di una cultura o di un interesse che possono avere l'impatto più profondo sulla nostra crescita personale e sulle relazioni.

Un viaggio, ad esempio, non è solo una serie di foto di luoghi esotici o di pasti in ristoranti particolari. Si tratta delle persone che incontri, delle storie che senti, dei profumi e dei suoni che ti circondano. Si tratta di camminare in un mercato locale e vedere colori, sapori e odori completamente nuovi. Si tratta di sentirsi a volte smarriti, di affrontare la barriera linguistica e di cercare di capire le norme sociali di un luogo sconosciuto. E tutte queste esperienze, grandi e piccole, vanno a plasmare la tua percezione del mondo e di te stesso.

Quando condividi queste esperienze con un partner, sia che viaggiate insieme, sia che racconti le tue avventure al tuo ritorno, stai offrendo un pezzo di te stesso che è stato trasformato e arricchito da queste esperienze. Questa condivisione può portare a una comprensione più profonda di chi sei e di come vedi il mondo, e può offrire al tuo partner l'opportunità di vedere il mondo attraverso i tuoi occhi.

Inoltre, immergersi in un nuovo hobby o interesse può essere un modo potente per sfidare te stesso e uscire dalla tua zona di comfort. Che si tratti di imparare a suonare uno strumento musicale, di iscriversi a una classe di danza o di sperimentare una nuova forma d'arte, ogni nuova abilità che acquisisci o passione che sviluppi ti offre una nuova prospettiva su te stesso e sul mondo intorno a te. Puoi scoprire aspetti di te stesso che non sapevi nemmeno esistessero e sviluppare una nuova fiducia e un senso di realizzazione.

Condividere questi momenti di scoperta e apprendimento con il tuo partner può arricchire la tua relazione in modi inaspettati. Magari il tuo partner si unirà a te nella tua nuova avventura o, al contrario, potrebbe offrire sostegno e incoraggiamento da lontano. In ogni caso, queste nuove esperienze possono portare a conversazioni più profonde, a momenti di condivisione e a una connessione più autentica.

Non dimenticare, inoltre, l'importanza della curiosità. La curiosità è ciò che ci spinge a esplorare, a sperimentare e a crescere. È ciò che ci fa domandare e cercare risposte. E in una relazione, la curiosità può essere una potente forza motrice. Essere curiosi l'uno dell'altro, delle vostre storie, dei vostri sogni e delle vostre paure può portare a una comprensione e a una connessione più profonde. E, allo stesso tempo, essere curiosi del mondo intorno a voi, insieme, può portare a nuove avventure e a nuovi ricordi da condividere.

In definitiva, la cultura e gli interessi sono tanto vari quanto le persone stesse. Ciò che appassiona e ispira una persona potrebbe non avere lo stesso effetto su un'altra. Ma è proprio questa diversità, questa infinita varietà di esperienze, storie e passioni, che rende la vita e le relazioni così ricche e appaganti. E ogni volta che scegliamo di condividere un pezzo di noi stessi, delle nostre esperienze e delle nostre passioni, con un altro essere umano, stiamo offrendo un dono unico e prezioso. Un dono che ha il potere di trasformare e arricchire sia chi lo offre sia chi lo riceve.

La cultura e gli interessi sono elementi fondamentali nella costruzione dell'identità individuale e, in un contesto di relazione, diventano strumenti potentissimi per il rafforzamento e l'approfondimento dei legami affettivi. Non si tratta soltanto di argomenti di conversazione o di semplici hobby da condividere, ma di componenti essenziali che danno colore, profondità e significato alla nostra esistenza e alle relazioni che intratteniamo.

A livello individuale, la cultura e gli interessi ci aiutano a definire chi siamo, riflettendo le nostre passioni, le nostre curiosità e le esperienze che abbiamo accumulato nel corso degli anni. Essi contribuiscono a formare una mappa complessa di esperienze, conoscenze e abilità che ci rendono unici. Questa mappa non è statica, ma evolve e si trasforma continuamente, arricchendosi ad ogni nuovo incontro o esperienza vissuta.

Quando portiamo questa ricchezza in una relazione, non solo offriamo al nostro partner uno sguardo dettagliato sul nostro mondo interiore, ma creiamo anche opportunità innumerevoli per l'apprendimento reciproco e la crescita condivisa. Attraverso la cultura e gli interessi, possiamo sfidarci a vicenda, spingendoci fuori dalla nostra zona di comfort, oppure possiamo trovare rifugio e comfort in passioni condivise che diventano rituali e tradizioni all'interno della relazione.

Ma c'è di più. La cultura e gli interessi hanno anche il potere di creare ponti tra mondi diversi, facilitando la comprensione e l'accettazione delle differenze. In una relazione, dove due individui possono provenire da background molto diversi, questi ponti diventano essenziali per la costruzione di un terreno comune. Attraverso la condivisione di interessi e la scoperta reciproca, si creano momenti di unione e di comprensione, che rafforzano il tessuto stesso della relazione.

Inoltre, in un'epoca caratterizzata da un bombardamento costante di informazioni e da una frenetica routine quotidiana, dedicare tempo e attenzione ai propri interessi e alla scoperta di nuove culture diventa un atto di cura verso se stessi e verso il proprio partner. Significa dedicare tempo di qualità alla propria crescita personale e alla crescita della coppia, costruendo una relazione basata non solo sull'amore, ma anche sul rispetto, sull'ammirazione e sulla curiosità reciproca.

In conclusione, mentre la cultura e gli interessi possono sembrare, in superficie, semplici aspetti del nostro quotidiano, in realtà sono potenti veicoli di espressione, connessione e crescita. In una relazione, rappresentano una fonte inesauribile di scoperte e rinnovamento, offrendo a entrambi i partner l'opportunità di conoscersi sempre più profondamente e di costruire, insieme, una storia ricca e appagante.

7. Linguaggi dell'amore Scopri i cinque linguaggi dell'amore e capisci qual è il principale per te e il tuo partner.

Il concetto dei "cinque linguaggi dell'amore" è stato introdotto dal Dr. Gary Chapman nel suo libro omonimo, diventato un bestseller mondiale. L'idea principale è che le persone esprimono ed interpretano l'amore in modi diversi, e comprendere il linguaggio d'amore predominante del proprio partner può aiutare notevolmente nel costruire e mantenere una relazione sana e appagante. Ecco un'analisi dettagliata di ciascuno dei linguaggi dell'amore:

1. **Parole di Affermazione**: Queste sono parole che costruiscono l'altro. Elogi, complimenti sinceri e parole di incoraggiamento sono tutti esempi. Dire "ti amo", "mi importa di te" o "sei incredibile" può avere un profondo impatto su una persona che si identifica con questo linguaggio d'amore.

2. **Atti di Servizio**: Per alcune persone, l'azione parla più delle parole. Preparare una cena, fare le faccende di casa, o prendersi cura dell'altro quando è malato sono tutti esempi di atti di servizio. Non sono gesti fatti per obbligo, ma per puro piacere di servire l'altro e mostrare amore attraverso le proprie azioni.

3. **Ricevere Regali**: Per alcune persone, ciò che rende loro felici è un dono. Non deve necessariamente essere

qualcosa di costoso o grande. Può essere qualcosa di semplice come un cioccolatino o un fiore raccolto durante una passeggiata. L'atto di dare e ricevere doni può essere incredibilmente simbolico per coloro che si identificano con questo linguaggio d'amore.

4. **Tempo di Qualità**: Questo linguaggio riguarda il dare al proprio partner attenzione non divisa. Ciò significa ascoltare attivamente, condividere momenti, fare attività insieme, o semplicemente stare uno accanto all'altro, godendosi la reciproca compagnia. La distrazione, la posticipazione e l'assenza possono essere particolarmente dolorose per chi ha il tempo di qualità come principale linguaggio dell'amore.

5. **Contatto Fisico**: Molti assocerebbero il contatto fisico esclusivamente alle relazioni romantiche, ma esso abbraccia tutto, dai pats on the back agli abbracci, ai baci, e ovviamente, alla vicinanza intima. Per coloro che hanno il contatto fisico come linguaggio d'amore primario, la mancanza di contatto fisico può farli sentire non amati.

Riconoscere e capire il proprio linguaggio dell'amore, così come quello del partner, è fondamentale. Può aiutare a prevenire incomprensioni e sentimenti di negligenza. Se, ad esempio, il linguaggio d'amore principale di una persona sono le parole di affermazione, potrebbe sentirsi trascurata o non amata se il partner non esprime regolarmente il proprio amore verbalmente. D'altro canto, se il partner esprime amore principalmente attraverso atti di servizio, potrebbe sentirsi frustrato o incompreso quando questi gesti non vengono riconosciuti o apprezzati.

È quindi essenziale non solo identificare il proprio linguaggio d'amore, ma anche comunicare apertamente con il partner riguardo al proprio linguaggio e al suo, in modo da costruire un fondamento solido di comprensione e apprezzamento reciproco nella relazione.

Il concetto dei linguaggi dell'amore non è solo una teoria interessante, ma rappresenta una chiave pratica e vitale per mantenere viva e rinvigorita una relazione. A livello pratico, identificare ed agire in base ai linguaggi dell'amore può prevenire molti conflitti comuni e malintesi che emergono nelle relazioni.

Adattabilità: Un aspetto fondamentale da considerare quando si parla di linguaggi dell'amore è l'adattabilità. Le persone cambiano nel corso del tempo, così come le loro priorità e desideri. Può succedere che un linguaggio d'amore predominante in una fase della vita diventi meno rilevante in un altro periodo. Ad esempio, un giovane che dà grande importanza al contatto fisico potrebbe, con l'età e l'esperienza, iniziare a valorizzare di più il tempo di qualità o le parole di affermazione. Essere flessibili e aperti a questi cambiamenti è fondamentale.

Culturalmente rilevante: I linguaggi dell'amore possono anche essere influenzati dalla cultura. In alcune culture, per esempio, gli atti di servizio sono altamente valorizzati come espressione d'amore. In altre, potrebbero essere le parole di affermazione o i doni a avere una maggiore rilevanza. Essere consapevoli di come la cultura influenzi la percezione dell'amore può aiutare a navigare meglio le dinamiche di una relazione, specialmente se i partner provengono da background culturali diversi.

La complessità dei linguaggi: Sebbene ci siano cinque linguaggi dell'amore principali, la realtà è che molte persone non si identificano esclusivamente con un solo linguaggio. Potrebbero avere un linguaggio predominante, ma apprezzare anche gli altri in misura variabile. Questo rende la dinamica ancora più complessa, poiché potrebbero esserci periodi in cui un individuo desidera più contatto fisico, mentre in altri momenti potrebbe anelare a parole di affermazione.

Sfide nella comunicazione: Mentre alcuni possono trovare facile identificare e comunicare il proprio linguaggio d'amore, altri potrebbero lottare con questo. A volte, le persone stesse potrebbero non essere consapevoli di ciò che realmente le fa sentire amate, o potrebbero sentirsi in imbarazzo nel chiedere ciò di cui hanno bisogno. Ecco perché l'introspezione e la comunicazione aperta sono essenziali.

Applicazione al di fuori delle relazioni romantiche: Sebbene i linguaggi dell'amore siano spesso discussi nel contesto delle relazioni romantiche, sono applicabili anche ad altre relazioni, come quelle tra genitori e figli, tra amici o tra colleghi. Ad esempio, un bambino potrebbe sentirsi più amato quando i genitori trascorrono del tempo di qualità con lui, mentre un altro potrebbe apprezzare piccoli regali o elogi.

In definitiva, i linguaggi dell'amore sono un potente strumento per costruire connessioni più profonde e significative con gli altri. Essi offrono una struttura e una guida per capire e agire sulle necessità emotive, non solo delle persone con cui siamo in una relazione, ma anche delle persone che incontriamo nella nostra vita quotidiana.

Approfondimenti sulla comunicazione: La comprensione dei linguaggi dell'amore ha una stretta correlazione con la capacità di comunicare efficacemente. Questa non è solo una questione di parlare e ascoltare, ma anche di percepire e interpretare. Quando una persona esprime amore attraverso atti di servizio, per esempio, potrebbe non sentirsi apprezzata se l'altro partner non riconosce questi sforzi come manifestazioni d'amore. Tuttavia, se entrambi i partner sono educati e consapevoli dei diversi linguaggi dell'amore, possono imparare a riconoscere e valorizzare le diverse modalità di espressione dell'affetto.

Frequenza e intensità: Non si tratta solo di identificare il linguaggio d'amore primario di una persona, ma anche di comprendere la frequenza e l'intensità con cui desidera che quel linguaggio venga espresso. Per esempio, mentre una persona potrebbe sentirsi amata con un semplice complimento ogni tanto, un'altra potrebbe desiderare conferme verbali dell'amore ogni giorno.

La trappola della presunzione: Una delle sfide più grandi nelle relazioni è presumere di sapere ciò di cui l'altro ha bisogno. Questa presunzione può portare a malintesi. Ad esempio, se uno dei partner ha come linguaggio d'amore principale il tempo di qualità, potrebbe sentirsi trascurato se l'altro partner sta regolarmente dando regali come espressione d'amore, pensando di fare ciò che è giusto. La consapevolezza e l'apertura mentale sono essenziali per evitare queste trappole.

Educare gli altri: Conoscere i propri linguaggi dell'amore è importante, ma educare gli altri su ciò che funziona per noi è altrettanto cruciale. Questo non significa imporre le proprie esigenze, ma piuttosto condividere in modo aperto e onesto ciò che ci fa sentire amati e apprezzati.

Sfide in relazioni a distanza: In relazioni a lunga distanza, alcuni linguaggi dell'amore possono diventare particolarmente complessi. Il contatto fisico, ovviamente, può essere limitato, e il tempo di qualità potrebbe richiedere sforzi aggiuntivi attraverso chiamate o videochiamate. In queste situazioni, adattarsi e trovare nuovi modi per esprimere l'amore diventa fondamentale.

Influenza delle esperienze passate: Le esperienze passate di un individuo possono influenzare il modo in cui percepisce e interpreta i linguaggi dell'amore. Qualcuno che ha sofferto di abbandono in passato potrebbe dare maggiore importanza al tempo di qualità, mentre qualcuno che ha vissuto relazioni in cui si sentiva non apprezzato potrebbe desiderare parole di affermazione.

Influenza dell'ambiente e della società:
L'ambiente in cui viviamo, compresi media, amici e famiglia, può influenzare le nostre percezioni sull'amore e su come dovrebbe essere espresso. Ad esempio, se viviamo in una società che valuta fortemente le dimostrazioni pubbliche d'affetto, potremmo sentirne il bisogno anche se il nostro linguaggio d'amore primario potrebbe essere diverso.

Nel complesso, i linguaggi dell'amore sono un'ottima lente attraverso cui esaminare e riflettere sulle proprie esigenze emotive e su quelle dei partner. Se utilizzati con empatia e consapevolezza, possono guidare verso relazioni più profonde e gratificanti.

La comprensione e l'implementazione dei cinque linguaggi dell'amore in una relazione rappresentano molto più di una semplice metodologia di comunicazione; sono una profonda esplorazione dell'animo umano e delle sue complesse esigenze emotive. La natura dinamica delle relazioni richiede un adattamento continuo e una volontà di imparare e rinnovarsi, e i linguaggi dell'amore offrono una bussola per navigare in questi territori mutevoli.

Ogni individuo ha una storia unica, composta da un insieme di esperienze, influenze culturali e aspettative personali che modellano il modo in cui desidera dare e ricevere amore. Mentre alcuni potrebbero trovare conforto nel contatto fisico, altri potrebbero anelare a parole di conferma o atti di gentilezza. Questa diversità non è un ostacolo, ma piuttosto una ricchezza che, se ben compresa e rispettata, può portare ad un'intimità profonda e duratura.

Nella pratica, applicare i linguaggi dell'amore significa prima di tutto prendersi il tempo per l'auto-riflessione, per comprendere e accettare le proprie esigenze emotive. Significa anche prendere l'iniziativa di comunicare queste esigenze al partner e, a sua volta, ascoltare con empatia e apertura le esigenze del partner. Questo dialogo, se condotto con sincerità e rispetto, può prevenire molti conflitti e malintesi, spianando la strada per una connessione profonda.

Tuttavia, è essenziale ricordare che l'amore e le relazioni sono entità in evoluzione. Ciò che funziona in un dato momento potrebbe non essere adatto in un altro, e i linguaggi dell'amore dovrebbero essere visti come un punto di partenza, una guida, piuttosto che una soluzione definitiva. Ogni relazione ha le sue sfumature uniche, e la chiave sta nell'essere attenti, presenti e disposti a crescere insieme.

In conclusione, i cinque linguaggi dell'amore, con la loro profonda introspezione e focalizzazione sulle esigenze emotive dell'individuo, offrono un quadro prezioso per coltivare relazioni significative e durature. Se ben compresi e applicati, possono trasformare la dinamica delle relazioni, sostituendo l'incomprensione e la distanza con l'intimità e la connessione.

8. Rispetta le differenze Ogni persona è unica. Celebrare e rispettare le differenze potenzia la connessione.

Profondità del concetto: Le differenze tra le persone sono una delle realtà fondamentali dell'esistenza umana. Queste variazioni possono derivare da una miriade di fonti: background culturali, esperienze di vita, personalità, valori, credenze, passioni e molto altro ancora. Nelle relazioni d'amore, l'incontro di due individui con le loro peculiarità rappresenta sia una sfida che una opportunità.

Origini delle differenze: Le differenze che portiamo in una relazione non emergono dal nulla. Spesso sono il risultato di anni di condizionamento familiare, esperienze passate, istruzione e cultura. Per esempio, la visione del mondo di una persona cresciuta in un ambiente urbano e cosmopolita potrebbe essere molto diversa da quella di qualcuno cresciuto in un ambiente rurale e comunitario.

Potere delle differenze: Mentre alcune differenze possono sembrare ostacoli superficiali, molte di esse offrono l'opportunità di arricchire la relazione. Ad esempio, un partner potrebbe introdurre l'altro a nuove forme d'arte, musica, cucina o tradizioni culturali. Questo arricchimento reciproco può rafforzare la connessione e la comprensione tra i partner.

Sfide delle differenze: Allo stesso tempo, le differenze possono portare a malintesi o conflitti. Può esserci una tensione quando le aspettative o le abitudini quotidiane di un partner entrano in conflitto con quelle dell'altro. Ad esempio, la concezione del tempo, l'importanza data alle festività o le modalità di espressione delle emozioni possono variare notevolmente tra due persone.

Empatia come chiave: Per gestire e apprezzare le differenze, l'empatia è cruciale. Significa fare uno sforzo attivo per vedere il mondo attraverso gli occhi del partner, cercando di capire le sue esperienze e le sue emozioni. Questo non significa necessariamente concordare su tutto, ma piuttosto cercare di comprendere e rispettare la prospettiva dell'altro.

Comunicazione e negoziazione: Man mano che emergono le differenze, è essenziale disporre di canali di comunicazione aperti per discuterne. A volte, potrebbe essere necessaria una negoziazione per trovare un terreno comune o un compromesso che tenga conto delle esigenze e dei desideri di entrambi i partner.

Crescita personale: Una delle bellezze delle relazioni sta nell'opportunità di crescita personale che offrono. Confrontarsi con le differenze del partner può spingere un individuo a riflettere sulle proprie convinzioni e valori, forse portando a una maggiore maturità e comprensione.

Nel complesso, mentre le differenze in una relazione possono presentare sfide, rappresentano anche una fonte inestimabile di arricchimento e crescita. Con empatia, comunicazione e rispetto, le differenze possono diventare pilastri che sostengono e rafforzano la relazione piuttosto che barriere che la dividono.

Celebrazione delle differenze: In un'epoca in cui si enfatizza sempre più l'individualità, celebrare le differenze non è solo un atto di tolleranza, ma un abbraccio entusiasta delle infinite variazioni dell'esperienza umana. Quando celebriamo le differenze, riconosciamo e onoriamo la ricchezza e la complessità di ciascuna persona. In una relazione, ciò significa vedere e valorizzare ciò che rende unico il partner, piuttosto che cercare di cambiare o "correggere" queste qualità.

La Psicologia delle Differenze: Dal punto di vista psicologico, le differenze tra individui sono il risultato di una combinazione di fattori genetici, ambientali ed esperienziali. Ogni persona ha una propria impronta emotiva, cognitiva e comportamentale. Questa unicità può manifestarsi in modi tanto sottili quanto profondi, influenzando tutto, dalle preferenze alimentari alle convinzioni filosofiche.

Differenze come risorsa: Invece di vedere le differenze come barriere, possono essere viste come risorse. Ad esempio, se un partner è estremamente organizzato mentre l'altro è più spontaneo, invece di entrare in conflitto, possono trovare modi per complementarsi. La persona organizzata potrebbe gestire la pianificazione e la logistica, mentre quella spontanea potrebbe introdurre avventura e novità nella relazione.

Intelligenza interculturale: Con l'interconnessione globale sempre più forte, molte relazioni sono interculturali. Ciò può portare a differenze in termini di tradizioni, abitudini e persino modi di pensare. Sviluppare un'efficace intelligenza interculturale, cioè la capacità di comprendere e adattarsi a diverse culture, può essere fondamentale per far prosperare queste relazioni.

Gestione dei conflitti: È inevitabile che le differenze portino a momenti di disaccordo o tensione. Ciò che è cruciale, tuttavia, è come vengono gestiti questi momenti. Un approccio costruttivo può vedere questi conflitti come opportunità per la comprensione reciproca, piuttosto che come combattimenti da vincere.

Estendere la tolleranza: Mentre è essenziale rispettare le differenze all'interno di una relazione intima, questo atteggiamento può avere ripercussioni positive anche nella società più ampia. In un mondo spesso diviso, la capacità di accogliere e valorizzare le differenze può promuovere la coesione sociale e ridurre i pregiudizi.

Adattabilità e flessibilità: Le differenze richiedono adattabilità. Significa essere flessibili nel proprio pensiero e comportamento, essere disposti a cambiare le proprie opinioni o abitudini se ciò porta a una maggiore armonia e comprensione.

Ogni relazione è un viaggio di scoperta, e le differenze tra i partner sono parte integrante di quella avventura. Invece di resistere o combattere contro queste differenze, accoglierle può portare a una connessione più profonda e significativa.

Le differenze come specchio: Le differenze che riscontriamo nel nostro partner possono funzionare come uno specchio, riflettendo aspetti di noi stessi che forse non avevamo considerato o riconosciuto. Questi momenti di rivelazione possono essere illuminanti, offrendoci l'opportunità di conoscerci meglio attraverso gli occhi di un altro. Ad esempio, se un partner ha una pazienza incredibile e l'altro tende a essere impulsivo, l'osservazione di questa differenza può spingere la persona impulsiva a riflettere sulle proprie reazioni e a cercare modi per diventare più paziente.

Storia e background: Ogni individuo porta con sé una storia personale che ha influenzato la sua percezione del mondo e la sua identità. Queste storie personali, che includono l'infanzia, le relazioni passate, le esperienze formative e i traumi, influenzano profondamente come una persona interagisce con gli altri. Quando ci confrontiamo con un partner che ha avuto esperienze di vita molto diverse dalle nostre, possiamo ampliare la nostra comprensione del mondo e diventare più empatici e comprensivi.

Differenze nella comunicazione: La comunicazione non riguarda solo le parole che usiamo, ma anche il modo in cui le pronunciamo, i nostri linguaggi del corpo, e le sfumature culturali che influenzano il nostro modo di esprimerci. A volte, le differenze nella comunicazione possono portare a malintesi. È essenziale riconoscere e apprezzare questi stili di comunicazione divergenti e cercare di adattarsi l'uno all'altro per evitare conflitti inutili.

Valori e convinzioni: Ogni persona ha un set unico di valori e convinzioni che hanno influenzato la loro visione del mondo. Questi valori possono riguardare questioni come la religione, la politica, l'etica, e le aspettative sul ruolo dei generi. Anche se due persone non condividono gli stessi valori, possono ancora rispettarsi e apprezzarsi a vicenda, riconoscendo che queste convinzioni sono il risultato delle proprie esperienze di vita.

Differenze fisiche e attrazione: Oltre alle differenze psicologiche e emotive, ci sono anche differenze fisiche che giocano un ruolo nelle relazioni. L'attrazione fisica è spesso ciò che inizialmente attrae due persone, ma col tempo, le differenze fisiche, come l'età, la salute, l'abilità e l'aspetto, possono diventare più evidenti. Riconoscere e accettare queste differenze fisiche è fondamentale per costruire una relazione autentica e duratura.

Adattamento e crescita: Affrontare e accogliere le differenze in una relazione richiede sia adattamento che crescita. Ciò potrebbe significare imparare nuove abilità, come una nuova lingua o una nuova tradizione culturale, o potrebbe significare superare vecchie paure o pregiudizi. In ogni caso, queste sfide offrono l'opportunità di diventare individui e partner migliori.

Nel mondo complesso e multiforme di oggi, le differenze tra le persone sono più evidenti che mai. Tuttavia, piuttosto che vederle come barriere, queste differenze possono essere viste come opportunità per l'apprendimento, la crescita e la connessione più profonda.

Nel vasto tessuto delle relazioni umane, la capacità di riconoscere, apprezzare e rispettare le differenze è una delle competenze più preziose e vitali che una persona possa coltivare. Questo rispetto non solo riguarda l'accettazione passiva delle divergenze, ma piuttosto un'attiva celebrazione delle infinite sfumature che caratterizzano l'esperienza umana.

Ogni differenza porta con sé un'opportunità unica. Le differenze nella comunicazione, ad esempio, possono stimolare nuovi modi di esprimersi e comprendere gli altri. Le differenze nei valori e nelle convinzioni offrono la possibilità di esplorare nuove prospettive, mettendo in discussione le proprie credenze e ampliando la comprensione del mondo. E le differenze fisiche, che possono variare nel corso del tempo, ci ricordano la natura mutevole e impermanente dell'esistenza, spingendoci a valorizzare il presente e ad accogliere ogni fase della vita con grazia.

Inoltre, gestire le differenze in modo costruttivo richiede una serie di abilità essenziali. L'empatia ci permette di calarci nei panni dell'altro, cercando di comprendere il suo punto di vista. La comunicazione assertiva ci consente di esprimere i nostri bisogni e sentimenti senza calpestare quelli degli altri. E la flessibilità mentale ci aiuta ad adattarci alle nuove informazioni e circostanze, promuovendo una continua crescita e apprendimento.

Concludendo, celebrare e rispettare le differenze non solo arricchisce le relazioni interpersonali, ma anche il nostro senso di sé. Imparare ad abbracciare le differenze, invece di temerle o respingerle, ci porta a una comprensione più profonda di ciò che significa essere umani. In una relazione, questo atteggiamento apre le porte a una connessione autentica e duratura, in cui entrambi i partner si sentono visti, valorizzati e compresi nella loro totalità. È attraverso questo profondo rispetto per le differenze che possiamo costruire relazioni solide, arricchenti e, soprattutto, amorevoli.

9. Date creative Sorprendi il tuo partner con appuntamenti inaspettati e divertenti.

Gli appuntamenti come viaggio di scoperta: L'idea di un appuntamento non dovrebbe essere limitata a una cena fuori o a una serata al cinema. Ogni appuntamento può diventare un'avventura, una possibilità di scoprire qualcosa di nuovo sia sul partner che su se stessi. Questo approccio mantiene viva l'eccitazione e permette di costruire ricordi duraturi.

L'importanza dell'elemento sorpresa: La sorpresa ha il potere di riaccendere la passione e l'interesse, soprattutto in relazioni di lunga data. Organizzare un appuntamento inaspettato o proporre un'attività completamente fuori dall'ordinario può riportare quella scintilla di novità e curiosità che caratterizza le prime fasi di una relazione.

Attingere agli interessi personali: Non c'è niente di più speciale di un appuntamento che tiene conto degli interessi personali del partner. Se il tuo partner ama l'arte, potresti organizzare una giornata in un museo o in una galleria d'arte. Se ama la natura, una passeggiata in un parco o una gita fuori porta potrebbe essere l'idea perfetta.

Sperimentare nuove attività insieme: Tentare qualcosa di nuovo insieme, come una lezione di cucina, un workshop di ceramica o un corso di danza, può rafforzare il legame tra due persone. Queste esperienze condivise diventano ricordi speciali che entrambi potranno guardare indietro con affetto.

Il valore della semplicità: Non tutti gli appuntamenti devono essere elaborati o costosi. A volte, le date più memorabili sono quelle semplici. Una passeggiata sotto le stelle, un picnic in un prato, o persino una serata a casa a cucinare insieme possono avere un impatto profondo e significativo.

Giocare con i sensi: Considera la possibilità di organizzare appuntamenti che stimolino diversi sensi. Una serata di degustazione di vini o di cibi esotici, una visita a un giardino di fiori profumati, o un concerto dal vivo possono offrire esperienze sensoriali uniche e indimenticabili.

Esplorare la propria città: Molte volte, ci dimentichiamo delle gemme nascoste nella nostra stessa città. Diventa un turista nella tua città e scopri posti nuovi o rivisita quelli che hai trascurato. Musei, teatri, parchi, mercati locali e festival possono offrire nuove avventure proprio sotto il tuo naso.

Nel mondo frenetico di oggi, prendersi il tempo per pianificare e godersi appuntamenti creativi può fare la differenza in una relazione. Non solo offre una pausa dalla routine quotidiana, ma aiuta anche a rafforzare il legame tra due persone, creando ricordi preziosi e incoraggiando una connessione più profonda.

Il contesto come protagonista: L'ambiente in cui si svolge l'appuntamento può giocare un ruolo fondamentale nell'influenzare l'atmosfera e l'esperienza generale. Scegliere un luogo insolito, come una biblioteca antica, un planetario o un giardino botanico, può fornire una cornice unica e stimolante per la conversazione e la connessione.

L'arte del DIY (Do It Yourself): Un appuntamento non deve necessariamente avvenire in un luogo esterno o richiedere una prenotazione. Organizzare una serata "fai da te" a casa, dove entrambi collaborano per creare qualcosa insieme, può essere incredibilmente gratificante. Questo potrebbe includere progetti di arte e artigianato, cucinare una ricetta complicata da zero o addirittura costruire qualcosa per la casa.

Rievocare il passato: Un'idea intrigante potrebbe essere quella di replicare il primo appuntamento o rivivere momenti speciali della propria relazione. Questo non solo porta una sensazione di nostalgia, ma anche una profonda apprezzamento per il percorso condiviso.

Appuntamenti tematici: Scegliere un tema per l'appuntamento può essere una divertente variazione dalla norma. Che si tratti di una notte ispirata agli anni '80, una serata stile film noir o una giornata dedicata alla cultura di un paese straniero, avere un tema può rendere la preparazione e l'esecuzione dell'appuntamento un'avventura in sé.

L'apprendimento come connessione: Prenotare una lezione o un workshop insieme, che sia di fotografia, pittura o lingua straniera, può non solo ampliare le vostre conoscenze ma anche offrire un'opportunità di crescere insieme come coppia.

Esplorare la natura: Mentre una passeggiata nel parco locale è sempre piacevole, considera l'idea di spingersi oltre. Escursioni in montagna, gite in canoa, osservazione delle stelle o persino campeggio possono offrire un'esperienza unica e la possibilità di connettersi l'uno con l'altro lontano dalle distrazioni della vita quotidiana.

La tecnologia a tuo favore: In un'era dominata dalla tecnologia, utilizzala a tuo vantaggio. Organizza una caccia al tesoro utilizzando le coordinate GPS, guarda insieme un film in streaming da una parte remota del mondo, o gioca a un gioco da tavolo online che entrambi amate.

L'importanza dell'attesa: Non sottovalutare il potere dell'anticipazione. Rilascia piccoli indizi sul prossimo appuntamento nei giorni che lo precedono. Questo costruisce eccitazione e curiosità, rendendo l'esperienza ancora più memorabile.

Mentre la varietà e la creatività sono certamente importanti, la chiave per un appuntamento di successo è l'attenzione genuina e l'impegno verso il partner. La qualità del tempo trascorso insieme, piuttosto che la quantità o l'elaborazione dell'evento, è ciò che veramente conta.

Osservare la città dall'alto: Molti centri urbani hanno grattacieli o punti panoramici che offrono viste mozzafiato della città. Un appuntamento che include una vista dall'alto può offrire una prospettiva completamente nuova del luogo in cui vivete, creando un'atmosfera romantica e memorabile.

Gite inaspettate: Pianificare un viaggio improvviso, anche solo per una giornata, può portare a esplorazioni inaspettate. Una visita in una città vicina, un villaggio caratteristico o una zona naturale può infondere freschezza e avventura nel vostro rapporto.

Musica e concerti: Invece di optare per le solite band o generi musicali, potreste sperimentare qualcosa di nuovo. Dai concerti di musica classica ai piccoli locali di jazz, la musica può offrire una connessione emotiva profonda e creare ricordi duraturi.

Date "sensoriali": Concentrarsi su un particolare senso per un appuntamento può essere un'esperienza unica. Ad esempio, potreste provare una degustazione al buio, dove mangiate senza vedere, oppure partecipare a un laboratorio olfattivo per creare il vostro profumo.

Volontariato insieme: Dedicare del tempo a una causa che vi sta a cuore può non solo aiutarvi a fare del bene nel mondo ma anche a connettervi su un livello più profondo. Che si tratti di piantare alberi, aiutare in un rifugio per animali o partecipare a eventi di raccolta fondi, il volontariato può arricchire il vostro rapporto.

Sport e attività all'aperto: Sperimentare insieme nuovi sport o attività può essere sia divertente che gratificante. Che si tratti di provare l'arrampicata, il paddleboarding o una lezione di yoga in un parco, l'attività fisica può rafforzare la vostra connessione e offrire numerose risate lungo il percorso.

Arti performative: Oltre ai concerti, ci sono molte altre forme d'arte performative da esplorare. Balletto, teatro, spettacoli di cabaret o persino poesia slam possono offrire serate indimenticabili.

Esperienze culinarie uniche: Oltre alla semplice cena fuori, ci sono molte altre esperienze culinarie da sperimentare. Che si tratti di un corso di cucina, una degustazione di vini e formaggi o una serata in un ristorante etnico, esplorare nuovi sapori può essere un'avventura in sé.

Meditazione e mindfulness: In un mondo frenetico, prendersi un momento di calma e riflessione può essere incredibilmente potente. Organizzare una sessione di meditazione guidata, una camminata nella natura o una lezione di mindfulness può aiutare entrambi a centrarvi e a riconnettervi non solo l'uno con l'altro, ma anche con voi stessi.

Giochi e sfide: Organizzare una serata di giochi da tavolo, indovinelli o persino videogiochi può offrire momenti di leggerezza e divertimento. Oppure, potreste impostare piccole sfide o gare per rendere la serata ancora più emozionante.

Dietro ogni appuntamento, c'è l'opportunità di riscoprire il partner e di costruire un legame ancora più forte. La creatività e l'attenzione al dettaglio possono fare la differenza, rendendo ogni momento insieme speciale e significativo.

Nel mondo delle relazioni amorose, l'innovazione e la creatività giocano un ruolo cruciale nel mantenere viva la fiamma dell'amore e dell'interesse. Gli appuntamenti creativi non sono solo una pausa dalla routine quotidiana, ma rappresentano anche l'occasione per costruire ricordi duraturi, rafforzare la connessione tra i partner e arricchire la relazione su vari livelli.

Il concetto di "date creative" sottolinea l'importanza di uscire dalla comfort zone. Quando ci si permette di sperimentare nuove attività o di vedere il mondo da prospettive diverse, si stimola non solo il cervello ma anche il cuore. La novità e l'inaspettato possono rinvigorire la passione, poiché portano a condividere emozioni, risate, sfide e persino imbarazzi. Queste esperienze coltivano una profonda intimità, poiché svelano nuove sfaccettature della personalità di ciascuno e mostrano come si reagisce a situazioni diverse.

Inoltre, un appuntamento creativo diventa un mezzo attraverso il quale si può esprimere l'attenzione, la cura e l'interesse verso il partner. Quando si pianifica qualcosa di speciale, si manda un messaggio chiaro: "Ti apprezzo e desidero investire tempo ed energia per rendere il nostro tempo insieme unico e memorabile". Questa dedizione, quando è reciproca, costruisce una base di rispetto, apprezzamento e affetto.

Ma c'è un altro aspetto fondamentale degli appuntamenti creativi: la scoperta di sé. Oltre a comprendere meglio il partner, ci si immerge in nuovi ambienti, sfide e attività, offrendo l'opportunità di scoprire interessi e passioni nascoste o di riscoprire parti di sé che erano state dimenticate o trascurate. Questa crescita personale si riflette nella relazione, rendendola più solida e arricchita.

In conclusione, gli appuntamenti creativi non sono solo un modo per rompere la monotonia, ma rappresentano una strategia essenziale per approfondire la comprensione reciproca, coltivare la passione e costruire una relazione resiliente e dinamica. Attraverso questi momenti, si celebra l'amore in tutte le sue forme e si creano ricordi che durano una vita. La chiave sta nell'essere aperti, audaci e pronti a sperimentare, sempre con l'obiettivo di condividere, crescere e amare profondamente.

10. Limiti e confini Stabilire e rispettare i confini è essenziale per una relazione sana.

Limiti e confini

Nel tessuto complesso delle relazioni umane, la nozione di limiti e confini si erge come un pilastro fondamentale, garantendo protezione, rispetto e comprensione reciproca. Questi termini, spesso utilizzati in modo intercambiabile, sono la spina dorsale di ogni interazione sana e costruttiva, siano essi amicali, professionali o romantici.

1. **Definizione di limiti e confini**: I limiti sono le linee invisibili che tracciamo attorno a noi stessi per proteggere il nostro benessere fisico, emotivo, mentale e spirituale. Essi rappresentano ciò che è accettabile e ciò che non lo è in termini di comportamento degli altri nei nostri confronti. I confini, d'altro canto, possono essere visti come le regole o le aspettative che stabiliscono come vogliamo essere trattati e come trattiamo gli altri.

2. **Importanza della comunicazione**: La chiave per stabilire confini efficaci risiede nella capacità di comunicarli chiaramente. Questo significa esprimere le proprie esigenze e aspettative in modo sincero e aperto, evitando malintesi e conflitti inutili.

3. **Rispetto reciproco**: Rispettare i confini altrui è tanto importante quanto stabilire i propri. È un segno di rispetto e considerazione, e indica che si vede l'altro come un individuo a sé stante con esigenze e desideri unici.
4. **Autonomia e Indipendenza**: Avere confini ben definiti promuove l'indipendenza e l'autonomia all'interno di una relazione. Permette ad entrambi i partner di crescere come individui, avendo spazio e libertà di esplorare i propri interessi e passatempi.
5. **Prevenzione dei conflitti**: Confini chiari e ben comunicati possono prevenire molti malintesi e conflitti. Quando entrambi i partner sanno cosa aspettarsi e come comportarsi, ci sono meno probabilità di sfaldamento e attrito.
6. **Sostegno in momenti di vulnerabilità**: Ci sono momenti in cui uno dei partner potrebbe sentirsi vulnerabile o stressato. Avere confini stabiliti aiuta l'altro partner a comprendere come fornire supporto senza sovrastare o invalidare i sentimenti dell'altro.
7. **Ricalibrare e rinegoziare**: Come le persone crescono e cambiano, anche i loro limiti e confini potrebbero aver bisogno di adeguamenti. È essenziale riconoscere questi cambiamenti e rinegoziare i confini di conseguenza.

Natura dei Confini: La prima cosa da comprendere sui confini è che non sono rigidi o fissi. Nonostante il nome, non sono muri impenetrabili, ma piuttosto delle linee flessibili che possono e devono adattarsi al contesto e alle circostanze. Come una membrana cellulare, permettono il passaggio di ciò che è benefico e proteggono dall'indesiderato.

Tipologie di Confini: Esistono diverse tipologie di confini, ognuna delle quali serve a proteggere una specifica dimensione del nostro essere:

- **Confini fisici**: Si riferiscono al nostro spazio personale e al nostro comfort con il contatto fisico. Alcune persone, ad esempio, potrebbero non sentirsi a proprio agio con abbracci prolungati o contatto fisico non richiesto.
- **Confini emotivi**: Questi si riferiscono ai nostri sentimenti. Implicano la capacità di riconoscere le proprie emozioni e non permettere agli altri di infrangere o invalidare queste emozioni. Ad esempio, se qualcuno dice: "Non dovresti sentirti così", sta violando un confine emotivo.
- **Confini intellettuali**: Riguardano le nostre idee e i nostri pensieri. Rispettare questi confini significa non deridere o sminuire le opinioni e le convinzioni altrui, anche se non si è d'accordo.
- **Confini temporali**: Riguardano il nostro tempo. Tutti abbiamo bisogno di tempo per noi stessi, e determinare quanto e quando è una forma di confine temporale. Questo potrebbe tradursi nel decidere di trascorrere una certa serata da soli o nel dedicare del tempo a un hobby.
- **Confini materiali**: Si riferiscono alle nostre proprietà personali, come vestiti, denaro o beni. Decidere chi può usarli, quando e come è esempio di stabilire confini materiali.

Equilibrio nella Definizione dei Confini: È essenziale trovare un equilibrio quando si definiscono i confini. Troppo rigidi possono allontanare le persone e creare isolamento, mentre confini troppo lassi possono portare a sentirsi sopraffatti e non rispettati. Questo equilibrio varia da persona a persona e può richiedere tempo e pratica per essere identificato.

Reazioni alla Violenza dei Confini: Non tutti reagiranno positivamente quando comunichi i tuoi confini. Alcuni potrebbero sentirsi respinti o giudicati. Tuttavia, è fondamentale ricordare che i confini sono posti per proteggere il tuo benessere e non per offendere gli altri. La chiave sta nella comunicazione: spiegare i tuoi confini in modo calmo e chiaro può aiutare gli altri a comprenderli e rispettarli.

L'importanza dell'auto-riflessione: Periodicamente, è utile riflettere sui propri confini. Chiediti: "Questi confini mi stanno ancora servendo? Sono troppo rigidi o troppo lassi?". Essere consapevoli dei propri confini e disposti ad adattarli è segno di crescita personale e maturità.

L'educazione ai Confini: Spesso, la mancanza di confini può derivare da come siamo cresciuti o dalle esperienze passate. In alcune famiglie o culture, potrebbe non essere comune parlare o stabilire confini. Tuttavia, è mai troppo tardi per imparare e iniziare a praticare questa abilità essenziale.

Il Ruolo della Terapia: Se si fatica a stabilire o a mantenere confini sani, potrebbe essere utile cercare la consulenza di un terapeuta. Essi possono offrire strumenti e strategie per comprendere e implementare confini efficaci nella tua vita.

Confini e Tecnologia: Nel mondo digitale di oggi, la necessità di confini si estende anche alla nostra vita online. Come gestisci le richieste di amicizia sui social media? Cosa scegli di condividere pubblicamente e cosa no? Decidere come e con chi condividere le tue informazioni personali è un altro aspetto del definire confini. Proteggere la propria privacy online è altrettanto cruciale quanto proteggere il proprio spazio fisico o emotivo.

Confini in Relazione: In una relazione, i confini possono spesso sovrapporsi. Può nascere la necessità di negoziare confini con il partner, assicurandosi che entrambi si sentano ascoltati e rispettati. Questo può riguardare tutto, dalla divisione delle responsabilità domestiche al modo in cui ciascuno trascorre il proprio tempo libero.

Confini Sul Lavoro: Sul posto di lavoro, stabilire confini chiari può aiutare a mantenere una separazione sana tra la vita professionale e quella personale. Questo può includere la definizione di orari specifici in cui si è disponibili per le chiamate o le e-mail di lavoro, o la determinazione di come si interagisce con i colleghi al di fuori dell'orario di lavoro.

Confini e Salute Mentale: Per chi lotta con problemi di salute mentale, come ansia o depressione, potrebbe essere particolarmente importante stabilire confini per proteggere il proprio benessere emotivo.

Questo potrebbe significare limitare l'esposizione a notizie o social media, oppure scegliere di trascorrere del tempo in solitudine quando si sente il bisogno di ricaricare.

Confini e Autocura: L'autocura è una pratica essenziale e può richiedere di stabilire confini per assicurarsi di avere il tempo e lo spazio necessari per rigenerarsi. Che si tratti di prenotare regolarmente una sessione di yoga, di meditazione, o semplicemente di leggere un libro, definire questo spazio come "intoccabile" può aiutare a garantire che le tue necessità di autocura vengano soddisfatte.

Il Rispetto Reciproco: Quando rispetti i confini altrui, crei un ambiente in cui anche i tuoi confini saranno rispettati. La reciprocità in questo contesto costruisce fiducia e comprensione.

Confini e Crescita Personale: Man mano che si evolve come individuo, i confini che erano appropriati o necessari in passato potrebbero non esserlo più. Riconoscere e adattarsi a questi cambiamenti fa parte del viaggio della crescita personale.

La Reattività ai Confini: È normale che alcune persone reagiscano in modo emotivo o difensivo quando si stabiliscono confini. Questo può derivare da insicurezze personali o da esperienze passate in cui i confini erano associati a rifiuto o abbandono. Essere consapevoli di queste reazioni e affrontarle con empatia può aiutare a navigare queste situazioni delicate.

I confini sono le linee invisibili che delimitano il nostro spazio personale, emotivo e mentale, garantendo l'equilibrio tra il nostro benessere e le esigenze altrui. Essi sono pilastri fondamentali nella costruzione di relazioni sane e reciproche.

Importanza dei Confini: Stabilire confini chiari e definiti è essenziale per mantenere la propria integrità e autostima. Questi confini aiutano a proteggere la nostra energia, i nostri valori e la nostra pace interiore da intrusioni indesiderate o da possibili sovrapposizioni. Quando sappiamo dove iniziano e finiscono i nostri confini, possiamo muoverci nel mondo con maggiore sicurezza e chiarezza.

Comunicazione dei Confini: Non basta stabilire confini; è essenziale comunicarli in modo efficace. Spiegare i propri confini non significa necessariamente mettersi sulla difensiva o essere aggressivi. Invece, si tratta di esprimersi con chiarezza e fermezza, fornendo al contempo spazio per il dialogo e la comprensione.

Flessibilità e Adattabilità: Mentre i confini devono essere chiari, non devono necessariamente essere rigidi. La vita è in continua evoluzione, e ciò che potrebbe funzionare ora potrebbe non essere appropriato in futuro. Essere flessibili e adattarsi alle situazioni, pur mantenendo l'integrità dei propri confini, è una skill essenziale.

Conflitti e Confini: A volte, stabilire confini può portare a tensioni o conflitti, specialmente se la controparte non è abituata a rispettarli o se interpretano erroneamente l'atto di stabilire confini come un segno di rifiuto. In tali situazioni, è importante affrontare il conflitto con empatia, ascolto attivo e chiarezza.

Autovalutazione e Crescita: Ogni tanto, è fondamentale riflettere sui propri confini. Questo processo di autovalutazione aiuta a identificare se i confini attuali sono ancora validi o se necessitano di essere rielaborati. Come gli anelli di un albero crescono e si espandono nel tempo, anche i nostri confini dovrebbero evolversi in base alle nostre esperienze e crescita personale.

Conclusione: In definitiva, i confini sono strumenti che, quando utilizzati correttamente, promuovono la crescita personale, il rispetto reciproco e la creazione di relazioni sane e bilanciate. Essi rappresentano un atto di autoamore, una dichiarazione di autovalutazione e un mezzo per garantire che le nostre relazioni siano costruite su fondamenta solide e rispettose. Sia che si tratti di relazioni personali, professionali o casuali, l'abilità di stabilire e mantenere confini sani sarà sempre un indicatore fondamentale della qualità e della profondità delle nostre connessioni con gli altri.

11. Intelligenza emotiva Riconosci e gestisci le tue emozioni e cerca di comprendere quelle degli altri.

Intelligenza Emotiva e Relazioni: L'intelligenza emotiva (IE) rappresenta la capacità di riconoscere, comprendere e gestire efficacemente le proprie emozioni, nonché di intuire e influenzare positivamente le emozioni altrui. In un contesto di dating e relazioni affettive, l'IE assume un ruolo cruciale nella costruzione di connessioni profonde, autentiche e reciprocamente gratificanti.

Autocomprensione: Prima di poter comprendere le emozioni degli altri, è essenziale avere una profonda comprensione di se stessi. Questo implica riconoscere i propri punti di forza e debolezza emotiva, identificare le cause scatenanti di particolari reazioni e sviluppare strategie per gestire le emozioni in modo costruttivo. La meditazione, la riflessione giornaliera e la terapia possono essere strumenti utili in questo percorso di autoscoperta.

Empatia: L'empatia va oltre la semplice simpatia; implica immergersi nelle emozioni altrui, cercando di comprendere le loro esperienze e prospettive. Nelle relazioni, l'empatia consente di connettersi su un livello più profondo, offrendo supporto e comprensione anche nelle situazioni più complesse.

Regolazione Emotiva: Non tutte le emozioni sono sempre appropriate in ogni situazione. L'intelligenza emotiva implica anche la capacità di modulare le proprie risposte emotive, evitando reazioni eccessive o inappropriate. Ciò significa anche saper gestire lo stress, la frustrazione o la rabbia in modo che non danneggino la relazione.

Abilità Sociali: Una componente chiave dell'IE è la capacità di interagire efficacemente con gli altri. Questo include ascoltare attivamente, comunicare con chiarezza, risolvere i conflitti in modo costruttivo e costruire relazioni di fiducia.

Autovalutazione: Come per tutti gli aspetti della crescita personale, è fondamentale valutare periodicamente il proprio livello di intelligenza emotiva. Ciò potrebbe implicare riflettere sulle proprie reazioni in determinate situazioni, chiedere feedback ad amici o partner, o anche consultare professionisti che possano offrire una prospettiva esterna.

Connessione e Risonanza Emotiva: L'intelligenza emotiva (IE) non si limita alla pura comprensione delle proprie emozioni e di quelle degli altri, ma coinvolge anche la capacità di risuonare con le emozioni di chi ci sta attorno. In altre parole, quando una persona con una solida IE percepisce la gioia, la tristezza o qualsiasi altro sentimento in un altro individuo, è in grado di "sintonizzarsi" con quella specifica emozione, creando un legame più profondo e significativo.

Feedback Emotivo: Una dimensione spesso trascurata dell'IE è la capacità di fornire feedback emotivi agli altri in modo costruttivo. Se, ad esempio, un partner condivide una preoccupazione o un successo, l'abilità di rispondere in modo appropriato e sostenere le sue emozioni (anziché minimizzarle o esagerarle) può rafforzare la relazione. Questa pratica può aiutare entrambi i partner a sentirsi visti e compresi.

Intuizione Emotiva: Oltre alla comprensione e alla risonanza, una profonda intelligenza emotiva porta con sé un certo livello di intuizione. Ciò significa che, in molte circostanze, una persona con alta IE può "sentire" o "intuire" le emozioni di un altro anche quando non vengono esplicitamente esposte. Questa sensibilità può servire come guida nelle interazioni quotidiane, aiutando a navigare in situazioni delicate o complesse con maggiore grazia.

Gestione dei Conflitti: Le dispute e i disaccordi sono inevitabili in qualsiasi relazione. Tuttavia, con una robusta intelligenza emotiva, questi momenti possono diventare opportunità per approfondire la comprensione reciproca. Attraverso l'ascolto empatico, la calma autoregolazione e la comunicazione autentica, è possibile affrontare e risolvere i conflitti in modo che rafforzino piuttosto che indebolire il legame.

Mindfulness e Presenza: La pratica della mindfulness, o attenzione plena, è strettamente collegata all'intelligenza emotiva. Essere veramente presenti in ogni momento, senza giudizio, permette di sintonizzarsi con le proprie emozioni e quelle degli altri in modo più acuto. Questa presenza mentale può aiutare a prevenire malintesi e a costruire una connessione emotiva più profonda.

Gestione delle Emozioni Negative: Mentre è essenziale riconoscere e validare tutte le emozioni, l'IE implica anche la capacità di gestire e canalizzare emozioni come la rabbia, la gelosia o la paura in modi produttivi. Questo può includere tecniche come la respirazione profonda, la meditazione o il dialogo interno positivo.

Crescita e Adattamento: L'intelligenza emotiva non è una qualità statica; si evolve e cresce nel tempo. Attraverso le esperienze, gli apprendimenti e le sfide della vita, è possibile affinare e approfondire la propria IE, adattandosi alle mutevoli dinamiche delle relazioni e dell'interazione umana.

Empatia e Compassione: L'empatia, che è la capacità di sentire ciò che un'altra persona sta provando, è spesso vista come il cuore pulsante dell'intelligenza emotiva. Non si tratta solo di riconoscere le emozioni altrui, ma di sentire con loro, di mettersi nei loro panni. Accanto all'empatia, la compassione entra in gioco quando trasformiamo questa comprensione in azione, offrendo sostegno e gentilezza quando è più necessario.

Autenticità: Una genuina intelligenza emotiva spinge a vivere con autenticità. Questo significa essere veri con se stessi, riconoscendo le proprie emozioni senza giudizio e esprimendole in modo onesto e trasparente. L'essere autentici rafforza la fiducia nelle relazioni e permette agli altri di fare lo stesso.

Riflessione e Introspezione: L'introspezione è il processo di esplorazione interna, di guardare dentro se stessi per comprendere le proprie emozioni, reazioni e motivazioni. Coloro che hanno una profonda intelligenza emotiva spesso si prendono il tempo per riflettere sulle proprie esperienze, sull'origine delle proprie emozioni e su come possono influenzare le proprie azioni e decisioni.

Risonanza Sociale: L'intelligenza emotiva si estende oltre le interazioni uno-a-uno. La risonanza sociale si riferisce alla capacità di "leggere" e influenzare le emozioni di un gruppo. In contesti sociali o lavorativi, questo può significare percepire l'atmosfera di una stanza o guidare il tono emotivo di un team o di un gruppo.

Flessibilità Emotiva: La vita è in costante cambiamento, e le situazioni possono evolversi rapidamente. La flessibilità emotiva rappresenta la capacità di adattarsi a queste mutevoli circostanze, modificando la propria risposta emotiva in base alla situazione. Ciò non significa sopprimere le emozioni, ma piuttosto riconoscere e regolare le proprie reazioni in modo appropriato.

Autoregolazione e Controllo: La capacità di regolare le proprie emozioni è un pilastro dell'intelligenza emotiva. Questo non significa semplicemente "controllarsi", ma piuttosto avere la consapevolezza di quando e come esprimere le emozioni in modo costruttivo, così come la capacità di calmarsi quando si è sopraffatti.

Crescita Attraverso la Retrospettiva: Ogni interazione e ogni esperienza offrono l'opportunità di apprendere e crescere. L'intelligenza emotiva incoraggia la riflessione su queste esperienze, permettendo di comprenderne i significati più profondi e di utilizzarle come basi per la crescita personale.

Riconoscimento del Proprio Valore: Anche se l'intelligenza emotiva riguarda spesso la comprensione e la reazione alle emozioni altrui, è fondamentale anche riconoscere il proprio valore e autostima. Questa consapevolezza intrinseca agisce come un ancoraggio, offrendo stabilità e sicurezza nelle interazioni emotive.

Conclusione sull'Intelligenza Emotiva:

L'intelligenza emotiva rappresenta uno degli aspetti più profondi e complessi dell'esperienza umana. Va ben oltre la semplice capacità di riconoscere e gestire le proprie emozioni, penetrando nelle profondità dell'interazione umana, dell'empatia e della consapevolezza di sé. Coloro che possiedono un'alta intelligenza emotiva non solo comprendono se stessi su un livello più profondo, ma sono anche attrezzati per navigare nel vasto e complicato mondo delle relazioni umane con una profondità di comprensione che pochi possono eguagliare.

Riconoscere le proprie emozioni, dare loro un nome, comprenderle e poi agire in modo costruttivo è un processo che richiede sia introspezione che pratica attiva. L'intelligenza emotiva non è statica; cresce e si evolve attraverso le esperienze, le sfide e le interazioni quotidiane. È, in molti modi, un viaggio continuo piuttosto che una destinazione.

In un contesto di appuntamenti e relazioni, l'intelligenza emotiva diventa ancora più cruciale. Permette alle persone di connettersi su un livello più profondo, di superare conflitti e incomprensioni e di costruire legami durevoli basati sulla comprensione reciproca e sulla fiducia. Con ogni interazione, c'è l'opportunità di apprendere, crescere e affinare la propria intelligenza emotiva.

Inoltre, la capacità di empatizzare, di mostrare autentica cura e comprensione, e di regolare le proprie emozioni in base alle situazioni, crea un ambiente sicuro e accogliente per entrambi i partner. Quando entrambe le parti in una relazione sono equipaggiate con questa forma di intelligenza, aumenta la probabilità di costruire una connessione autentica e durevole.

In sintesi, l'intelligenza emotiva non è solo un concetto accademico o un termine alla moda; è una componente vitale del tessuto delle relazioni umane. In un mondo in cui l'efficacia della comunicazione e la capacità di connettersi autenticamente con gli altri sono sempre più preziose, l'importanza di sviluppare e coltivare la propria intelligenza emotiva non può essere sottovalutata.

12. Evoluzione personale Cresci come individuo. Iscriviti a corsi, leggi libri, medita.

Evoluzione personale:

L'evoluzione personale, o crescita personale, è un viaggio senza fine, un continuo processo di auto-scoperta e auto-miglioramento. Questo percorso è tanto cruciale per il proprio benessere quanto per la qualità delle relazioni che intratteniamo. In effetti, il modo in cui cresciamo come individui influisce direttamente sulla profondità e sulla qualità delle nostre interazioni con gli altri.

1. **Iscrizione a corsi**: L'iscrizione a corsi è uno dei modi più efficaci per accelerare la crescita personale. Può trattarsi di corsi universitari, workshop, seminari online o qualsiasi altro formato educativo. L'apprendimento costante ci permette di acquisire nuove competenze, di esplorare nuove passioni e di allargare i nostri orizzonti. Inoltre, frequentando corsi ci esponiamo a nuovi punti di vista, a nuove persone e a nuove culture, arricchendo la nostra comprensione del mondo.

2. **Lettura**: I libri sono una risorsa inestimabile per l'evoluzione personale. Attraverso la lettura, possiamo vivere mille vite, esplorare epoche diverse e viaggiare in luoghi lontani senza mai lasciare il nostro salotto. Ogni libro, sia che si tratti di narrativa o di saggistica, ha il potenziale per offrirci una nuova prospettiva o per approfondire la nostra comprensione su un certo argomento. Che si tratti di filosofia, psicologia, storie

vere o romanzi, ogni lettura contribuisce al nostro bagaglio culturale e alla nostra crescita.

3. **Meditazione**: La meditazione è una pratica antica, ma oggi più che mai rilevante. Nella frenesia della vita moderna, la meditazione offre un momento di pausa, un rifugio dal caos esterno. Attraverso la meditazione, possiamo coltivare una maggiore consapevolezza di noi stessi e del momento presente. Questa pratica non solo apporta benefici a livello di gestione dello stress e di benessere emotivo, ma ci aiuta anche a sviluppare una maggiore empatia e comprensione verso gli altri.

La crescita personale riguarda l'espansione della propria mente, del proprio cuore e dell'anima. Si tratta di riconoscere che, indipendentemente da dove ci troviamo ora nella vita, c'è sempre spazio per apprendere, migliorare e crescere. Inoltre, quando ci impegniamo attivamente in questo percorso di evoluzione, non solo ne beneficia la nostra autostima e il nostro benessere interiore, ma anche le persone intorno a noi. Avere a che fare con una persona in continua crescita è stimolante: essa porta nuove idee, prospettive fresche e un'energia vivace nelle interazioni, rendendo ogni momento con essa un'occasione per l'apprendimento e l'ispirazione reciproca.

Evoluzione personale (continuazione):

4. **Allenamento fisico**: Il benessere fisico è strettamente legato al benessere mentale. Quando prendiamo l'abitudine di fare esercizio regolarmente, il nostro corpo produce endorfine, spesso chiamate "ormoni della felicità". Oltre a migliorare la nostra salute generale, l'allenamento fisico può anche essere un momento per riflettere, mettersi alla prova e stabilire nuovi obiettivi. Non importa se preferisci la corsa, lo yoga, la palestra o le arti marziali: trova un'attività che ti piace e ti sfidi a migliorare.

5. **Viaggi**: Viaggiare ha il potere di espandere la mente come poche altre esperienze. Confrontarsi con nuove culture, cibi, lingue e modi di vivere ci dà una prospettiva più ampia sul mondo. Ci insegna a essere più flessibili, adattabili e a comprendere meglio le persone che provengono da contesti diversi dal nostro. Inoltre, staccare dalla routine quotidiana attraverso un viaggio può essere un modo per riflettere su se stessi e sulla propria vita.

6. **Networking e socializzazione**: Interagire con persone diverse da noi, sia professionalmente sia socialmente, è un modo eccellente per crescere. Ogni individuo ha una storia e delle lezioni di vita da condividere. Ascoltando gli altri e condividendo le nostre esperienze, possiamo imparare e crescere in modi che non avremmo mai immaginato.

7. **Definire obiettivi e sogni**: Avere obiettivi e sogni chiari ci fornisce una direzione. Può trattarsi di ambizioni professionali, desideri personali o semplicemente di piccoli obiettivi quotidiani. Il solo atto di stabilire un obiettivo e lavorare per raggiungerlo può fornire una profonda sensazione di realizzazione e propulsione verso la crescita personale.

8. **Giornalismo e scrittura**: Tenere un diario o scrivere regolarmente può essere un modo potente per riflettere su se stessi e sulla propria vita. Scrivere ci aiuta a processare le nostre emozioni, a comprendere meglio noi stessi e ad esplorare i nostri pensieri più profondi. Non devi essere uno scrittore professionista: basta un quaderno e una penna per iniziare questo viaggio di auto-scoperta.

9. **Praticare l'arte**: Che tu sia attratto dalla pittura, dalla musica, dalla danza o da qualsiasi altra forma d'arte, immergerti nella creatività è un modo eccellente per esprimere te stesso e crescere come individuo. L'arte può essere un canale per esplorare le emozioni, le idee e i concetti che altrimenti potrebbero rimanere inespressi.

10. **Esposizione a nuove esperienze**: Prova cose nuove ogni volta che ne hai l'opportunità. Può trattarsi di un nuovo hobby, di un corso di cucina o di un salto in paracadute. Ogni nuova esperienza amplia il nostro repertorio di conoscenze e arricchisce la nostra vita.

L'evoluzione personale è un mosaico composto da innumerevoli piccole tessere, ognuna delle quali rappresenta un'esperienza, una lezione o una sfida. Come in un puzzle, ogni pezzo ha il suo posto e contribuisce alla creazione di un quadro più grande. La bellezza di questo viaggio è che non ha una destinazione finale; c'è sempre spazio per aggiungere nuove tessere, per imparare, crescere e trasformarsi. E in questo continuo processo di crescita e trasformazione, non solo diventiamo migliori come individui, ma arricchiamo anche la vita delle persone che ci circondano.

Conclusione sull'Evoluzione personale:

L'evoluzione personale non è un percorso lineare ma una serie di piccoli passi, decisioni e momenti di riflessione che ci guidano attraverso la vita. È un viaggio in continua evoluzione, in cui ogni fase, ogni sfida e ogni successo costruisce la persona che siamo e che aspiriamo a diventare.

La crescita non avviene in isolamento. Si nutre delle persone che incontriamo, delle culture che esploriamo, delle sfide che affrontiamo e delle vittorie che celebriamo. Ogni esperienza, anche la più piccola, contribuisce al nostro sviluppo, fornendoci lezioni preziose. Ci insegna a essere resilienti, ad adattarci e a perseguire ciò che è significativo per noi.

Ma l'evoluzione personale non si limita al nostro benessere individuale. Quando cresciamo come individui, influenziamo positivamente anche le persone e le comunità che ci circondano. Diventiamo fonti d'ispirazione, mentori, e portiamo avanti una catena di positività e crescita.

È essenziale ricordare che l'evoluzione è un processo continuo. Non esiste un "arrivo" o un "punto finale". Ci saranno sempre nuove opportunità per apprendere, cambiare e migliorarsi. La chiave è rimanere aperti e ricettivi, accogliendo ogni esperienza con curiosità e una mente aperta.

Inoltre, come in ogni viaggio, ci saranno inevitabilmente ostacoli e momenti di dubbio. Ma sono proprio queste sfide che spesso offrono le opportunità più grandi di crescita. Affrontare le difficoltà con coraggio e determinazione ci permette non solo di superarle ma anche di trarre lezioni preziose da esse.

In sintesi, l'evoluzione personale è un impegno a lungo termine, un impegno con se stessi. Non è dettato da tendenze esterne o aspettative altrui, ma da un desiderio interiore di essere la versione migliore di se stessi. Con dedizione, passione e una mente aperta, ogni individuo ha la capacità di plasmare la propria vita in un viaggio unico e significativo. E in questo viaggio, ogni passo avanti, grande o piccolo, è una celebrazione della nostra incessante capacità di evolverci, di imparare e di crescere.

13. Gestione dei conflitti Impara a navigare attraverso i disaccordi in modo costruttivo, evitando attacchi personali.

Gestione dei conflitti

La gestione dei conflitti è una componente essenziale di qualsiasi relazione. Il disaccordo e il contrasto sono inevitabili, ma la capacità di affrontarli in modo costruttivo e rispettoso può fare la differenza tra una relazione sana e una tossica. Ecco alcune considerazioni e suggerimenti su questo tema:

1. **Auto-riflessione:** Prima di affrontare una discussione, chiediti perché ti senti come ti senti. Spesso, le reazioni emotive sono alimentate da esperienze passate, insicurezze o paure non direttamente correlate al problema attuale.
2. **Ascolta per comprendere:** Spesso, durante un conflitto, si tende a pensare a ciò che si dirà successivamente piuttosto che ad ascoltare veramente ciò che l'altra persona sta dicendo. Ascoltare attivamente può aiutarti a comprendere il punto di vista dell'altra persona e a trovare un terreno comune.
3. **Evita l'escalation:** Riconosci quando una discussione sta diventando troppo accesa e fai una pausa se necessario. A volte, allontanarsi per un momento e ritornare alla discussione con una mente fresca può essere incredibilmente benefico.
4. **Utilizza "io" piuttosto che "tu":** Esprimere i tuoi sentimenti in termini di "io sento" piuttosto che "tu fai" può ridurre l'aspetto accusatorio della conversazione e rendere l'altra persona più recettiva ai tuoi sentimenti.
5. **Ricerca di soluzioni congiunte:** Invece di concentrarti su chi ha torto o ragione, lavora insieme per trovare una soluzione che soddisfi entrambe le parti.
6. **Impara a scusarti:** Riconoscere i propri errori non è un segno di debolezza, ma di maturità. Se ti rendi conto di aver sbagliato, ammettilo e scusati.
7. **Conoscenza delle proprie gattonzoli:** Siamo tutti umani e abbiamo tutti dei punti sensibili. Conosci i tuoi e sii aperto riguardo ad essi con il tuo partner, in modo da poter navigare con attenzione in quei territori.

8. **Stabilisci regole di base:** Se i conflitti tendono a seguire schemi prevedibili, stabilisci delle regole di base per le discussioni, come ad esempio non alzare la voce, non interrompere o non portare vecchi problemi nella discussione corrente.

9. **Ricorda il quadro generale:** Durante un conflitto, può essere facile perdere di vista il quadro generale e concentrarsi solo sulle piccole cose. Ricorda perché sei in una relazione con questa persona e cosa rappresenta per te.

10. **Non generalizzare:** Durante un argomento, evita di usare termini assoluti come "sempre" o "mai". Queste generalizzazioni possono esacerbare un conflitto in quanto non permettono spazio per la comprensione e possono far sentire l'altra persona attaccata o incompresa.

11. **Evita le distrazioni:** Quando stai avendo una discussione importante, assicurati di essere entrambi presenti. Questo significa mettere da parte gli smartphone, spegnere la TV e dedicare attenzione al problema in discussione.

12. **Utilizza tecniche di rilassamento:** Se senti che la tensione sta crescendo, prenditi un momento per praticare tecniche di rilassamento come respirazioni profonde o visualizzazione. Questo può aiutare a mantenere una mente chiara e a evitare reazioni impulsività.

13. **Sii curioso, non difensivo:** Approccia la conversazione con una mentalità aperta. Anziché mettersi sulla difensiva, cerca di comprendere

veramente da dove viene l'altra persona. Questa prospettiva può aiutare a ridurre la tensione.

14. **Affronta un problema alla volta:** Se ci sono vari problemi in sospeso, può essere tentante affrontarli tutti in una volta. Tuttavia, ciò può diventare rapidamente travolgente e fuorviante. Concentrarsi su un problema per volta aiuta a mantenere la discussione produttiva.

15. **Presta attenzione al linguaggio del corpo:** Le parole sono solo una parte della comunicazione. Gesti, espressioni facciali e postura possono trasmettere tanto quanto le parole. Assicurati che il tuo linguaggio del corpo non sia aggressivo o chiuso.

16. **Evita il sarcasmo:** Anche se può sembrare ovvio, il sarcasmo durante un argomento può essere particolarmente dannoso. Può diminuire la validità dei sentimenti dell'altra persona e aggravare il conflitto.

17. **Ritrova l'umano nell'altro:** Anche nelle discussioni più accese, ricorda che stai parlando con un'altra persona umana, con i propri sentimenti, paure e insicurezze. Questo può aiutarti a mantenere la compassione al centro della discussione.

18. **Non aver paura di cercare aiuto:** Se senti che i conflitti stanno diventando troppo per gestirli da soli, potrebbe essere utile cercare una terapia di coppia o altre risorse per aiutare a navigare attraverso i problemi.

19. **Impara dai conflitti passati:** Ogni conflitto, grande o piccolo, è un'opportunità di apprendimento. Dopo che le acque si sono calmate, rifletti su ciò che è successo, cosa ha funzionato e cosa no, e considera come puoi migliorare nelle future discussioni.

20. **Celebra le risoluzioni:** Quando avete navigato con successo attraverso un conflitto e trovato una soluzione, prendetevi un momento per celebrare insieme. Questo rafforza la connessione e ricorda a entrambi che, nonostante le sfide, siete un team.

21. **Riconosci i trigger emotivi:** Tutti hanno certi "trigger" o "pulsanti" che, quando premuti, possono portare a reazioni emotive forti. Identificare questi trigger in te stesso e nel tuo partner può aiutarti a navigare meglio nelle conversazioni, evitando argomenti o approcci che potrebbero innescare una reazione sproporzionata.

22. **Definisci una 'parola sicura':** Questo può essere un modo efficace per fermare una discussione che sta diventando troppo intensa. Una "parola sicura" è una parola o frase predefinita che indica che uno dei due ha bisogno di una pausa dalla conversazione.

23. **Rifletti prima di rispondere:** Spesso, durante un conflitto, la nostra reazione iniziale può essere guidata dall'impulso piuttosto che dalla riflessione. Prendersi un momento per pensare prima di rispondere può fare una grande differenza nel tono e nell'esito della discussione.

24. **Impara a scusarti:** Una scusa sincera può fare molto per risolvere un conflitto. Tuttavia, è essenziale che le scuse siano genuine e non un mezzo per placare l'altra persona.

25. **Stabilisci momenti regolari per il check-in:** Dedicare del tempo regolarmente per parlare dei propri sentimenti e preoccupazioni può prevenire l'accumulo di tensioni e malintesi. Questi momenti

possono essere settimanali o mensili, ma dovrebbero essere un momento dedicato alla comunicazione aperta.

26. **Pratica l'empatia attiva:** Questo va oltre il semplice ascolto. Significa davvero mettersi nei panni dell'altra persona, cercando di capire i suoi sentimenti e il suo punto di vista, anche se non sei d'accordo.

27. **Stabilisci regole di base per le discussioni:** Queste potrebbero includere non interrompere, evitare di alzare la voce, non utilizzare un linguaggio offensivo e altre norme che entrambi ritenete utili.

28. **Concentrati sul problema, non sulla persona:** Durante un conflitto, può essere facile iniziare ad attaccare personalmente l'altro. Tuttavia, ciò raramente porta a una soluzione costruttiva. Concentrati sul problema specifico, non sul carattere o le azioni passate dell'altra persona.

29. **Ricorda le ragioni per cui sei insieme:** In mezzo a un conflitto, può essere utile fare un passo indietro e ricordare le ragioni positive per cui hai scelto di essere con il tuo partner. Questa prospettiva può offrire una boccata d'aria fresca e riportare la discussione su binari costruttivi.

30. **Cerca di vedere il conflitto come un'opportunità:** Invece di vederlo come un ostacolo, vedi ogni disaccordo come un'opportunità per crescere insieme, migliorare la comunicazione e approfondire la comprensione reciproca. Con il giusto atteggiamento, ogni conflitto può essere trasformato in un'opportunità di crescita e apprendimento per entrambi.

La gestione dei conflitti è una componente inestimabile della costruzione di relazioni sane e durature. Essa rappresenta il tessuto connettivo che mantiene le relazioni resilienti di fronte agli inevitabili disaccordi e tensioni. Al cuore della gestione dei conflitti sta l'arte della comunicazione, che va ben oltre le parole pronunciate. Si tratta di come queste parole vengono dette, del linguaggio del corpo che le accompagna, e dell'intenzione e dell'empatia dietro di esse.

La capacità di gestire i conflitti è anche una dimostrazione di maturità emotiva. Riconoscere che non ogni disaccordo deve culminare in una discussione accesa e che non ogni punto di vista diverso è un attacco personale, sono segni di una profonda sicurezza interiore. È una consapevolezza che le relazioni, come tutte le cose nella vita, hanno alti e bassi, e che la chiave non è evitare i bassi, ma piuttosto trovare modi per attraversarli insieme.

Un altro aspetto fondamentale della gestione dei conflitti è l'auto-riflessione. Ciò richiede l'onestà di guardarsi allo specchio e chiedersi: "In che modo potrei aver contribuito a questo disaccordo? Cosa posso fare diversamente la prossima volta?" Questa volontà di prendersi la responsabilità, piuttosto che puntare il dito, può trasformare la dinamica di un conflitto.

Inoltre, la gestione efficace dei conflitti insegna l'importanza del perdono. Non si tratta di dimenticare o di sopraffare i propri sentimenti, ma di liberarsi dal peso del risentimento e della rabbia. Il perdono, in molti modi, è un regalo che si fa a se stessi tanto quanto all'altro.

Infine, la gestione dei conflitti è un'abilità che si raffina nel tempo e con la pratica. Non ci si aspetti di diventare maestri della notte al giorno. Ci saranno momenti in cui si cadrà nelle vecchie abitudini o si diranno cose di cui ci si pentirà. Ma con il tempo, l'impegno e la determinazione di crescere e apprendere, è possibile costruire una fondazione di comprensione e rispetto che sosterrà la relazione attraverso le tempeste e le acque tranquille.

14. Vita sociale e indipendenza Mantieni una vita sociale al di fuori della relazione. L'indipendenza è attraente.

Vita sociale e indipendenza: Elaborazione iniziale

Una relazione sana non implica l'assorbimento completo dell'uno nell'altro. In effetti, conservare la propria individualità e mantenere relazioni e attività al di fuori del rapporto può essere fondamentale per la sua longevità e profondità. Ecco perché è importante coltivare e nutrire una vita sociale e un senso di indipendenza anche quando si è in una relazione.

1. **Autenticità e crescita**: Avere una vita sociale attiva e impegnarsi in attività personali permette di continuare a crescere come individuo. Questa crescita individuale, a sua volta, porta crescita e freschezza nella relazione stessa.

2. **Spazio per respirare**: Ogni individuo ha bisogno di un po' di spazio per riflettere, rigenerarsi e semplicemente godersi la propria compagnia o quella degli altri. Questo spazio consente di avere momenti di pausa, che possono effettivamente intensificare la connessione con il partner.

3. **Diverse prospettive**: Interagire con diversi gruppi di persone o partecipare a diverse attività può offrire nuove prospettive. Queste prospettive possono arricchire le conversazioni e le esperienze condivise con il partner.

4. **Rafforza l'autostima**: Sentirsi apprezzati e riconosciuti al di fuori della propria relazione può contribuire a rafforzare l'autostima. Questo può ridurre la dipendenza emotiva dal partner per la validazione e creare un equilibrio nella relazione.

5. **Riduce la pressione**: Aspettarsi che il partner soddisfi ogni bisogno sociale o emotivo può essere soffocante e irrealistico. Avere amicizie e attività al di fuori della relazione riduce questa pressione.

6. **Mantiene l'attrazione**: L'indipendenza è attraente. Mostra che sei sicuro di te stesso, che hai interessi e che sei una persona completa di per sé. Questa

completa autonomia può alimentare l'attrazione nel rapporto.

7. **Arricchisce la relazione**: Condividere esperienze esterne e nuove storie con il partner può portare nuovi argomenti di conversazione e arricchire la connessione reciproca.

8. **Promuove la comprensione reciproca**: Quando entrambi i partner hanno vite sociali attive e indipendenti, possono sviluppare una maggiore comprensione e rispetto per gli impegni, le passioni e gli interessi dell'altro. Questa comprensione può portare a una maggiore empatia e supporto reciproco.

9. **Opportunità di apprendimento**: Mantenendo una vita sociale attiva, si ha l'opportunità di imparare nuove competenze, acquisire nuove conoscenze e sperimentare diverse culture. Queste esperienze possono essere trasferite nella relazione, offrendo nuove opportunità per crescere insieme.

10. **Prevenzione della co-dipendenza**: Una vita sociale indipendente può aiutare a prevenire la formazione di dinamiche co-dipendenti, dove uno o entrambi i partner si affidano eccessivamente all'altro per il supporto emotivo, fisico o finanziario.

11. **Sviluppo di reti di supporto**: Oltre al partner, è fondamentale avere una rete di amici e familiari su cui

contare. Queste reti possono offrire supporto durante i momenti difficili, sia all'interno che all'esterno della relazione.

12. **Rinfresca la relazione**: Passare del tempo lontano dal partner può effettivamente rinfrescare e rinvigorire la relazione. L'anticipazione di rivedersi dopo aver passato del tempo con gli amici può rendere i momenti trascorsi insieme ancora più speciali.

13. **Promuove l'autosufficienza**: L'indipendenza non riguarda solo l'essere fisicamente o socialmente separati dal partner, ma anche l'essere emotivamente e mentalmente autosufficienti. Questa autosufficienza può portare a decisioni più ponderate e a una maggiore responsabilità personale nella relazione.

14. **Flessibilità**: Mantenendo una vita sociale e attività al di fuori della relazione, entrambi i partner sviluppano una maggiore flessibilità. Questa flessibilità può tradursi in una maggiore capacità di adattarsi ai cambiamenti e alle sfide che emergono nella relazione.

15. **Promozione della fiducia**: La fiducia è un pilastro fondamentale di ogni relazione sana. Consentendo a ciascun partner di avere una vita sociale indipendente, si dimostra fiducia e si rafforza questo legame fondamentale.

16. **Migliora le capacità di comunicazione**: Comunicare sul perché è importante mantenere interessi separati, come ci si sente quando si è lontani e

su ciò che si desidera dalla relazione, può migliorare la comprensione reciproca e le capacità di comunicazione.

17. **Prevenzione dell'isolamento**: Avere una rete sociale al di fuori della coppia può aiutare a prevenire l'isolamento, che può diventare insidioso se una delle due parti si affida esclusivamente all'altra per il sostegno emotivo e sociale.

18.   **Mantenimento dell'identità**: Prima di entrare in una relazione, ogni individuo ha una propria identità, passioni e interessi. Mantenere una vita sociale indipendente aiuta a preservare e rafforzare quella identità personale, garantendo che non venga oscurata o sovrastata dalla dinamica di coppia.

19. **Miglioramento della qualità delle interazioni**: Quando ogni partner ha l'opportunità di trascorrere del tempo con altri amici o familiari, possono portare nuove storie, esperienze e prospettive nella loro interazione di coppia, rendendo ogni conversazione e ogni momento trascorso insieme più ricco e stimolante.

20.   **Rafforzamento dell'autostima**: Essere in grado di mantenere relazioni e impegni al di fuori della coppia può aumentare la fiducia in se stessi e la sensazione di competenza sociale.

21. **Diminuzione della pressione**: Quando c'è una dipendenza eccessiva dal partner per soddisfare tutte le esigenze sociali ed emotive, può sorgere una pressione. Mantenendo una vita sociale separata, questa pressione può essere alleggerita, poiché non si dipende completamente da una sola persona per soddisfare ogni bisogno.

22. **Promozione dell'equilibrio**: Come con qualsiasi aspetto della vita, l'equilibrio è fondamentale. Una vita sociale indipendente può contribuire a fornire quell'equilibrio, garantendo che ci sia un mix di tempo di qualità trascorso sia con il partner sia con altre persone importanti nella vita.

23. **Nuove competenze e prospettive**: Interagire con una varietà di individui può aiutare a sviluppare nuove competenze sociali e offrire prospettive diverse su questioni e situazioni, che possono poi essere applicate nella relazione di coppia.

24. **Stimola la crescita personale**: Oltre all'evoluzione come coppia, è vitale che ogni individuo continui a crescere come persona. La crescita personale può essere stimolata attraverso nuove esperienze, sfide e relazioni al di fuori della coppia.

25. **Valorizzazione del tempo trascorso insieme**: La distanza, anche brevemente, può far apprezzare di più il tempo trascorso con il partner. Quando ci si ritrova dopo aver trascorso del tempo a parte, si può sentire una rinnovata gratitudine e apprezzamento per la propria metà.

La dimensione sociale di un individuo non dovrebbe mai essere trascurata o compromessa all'interno di una relazione. Essa rappresenta una componente fondamentale dell'identità di ciascuno, influenzando la percezione di sé, l'equilibrio mentale ed emotivo e la capacità di interagire in modo efficace con il mondo circostante.

La vita sociale e l'indipendenza, al di là di essere semplici parole, sono in realtà elementi essenziali per una vita piena e soddisfacente. In una relazione, è facile cadere nella trappola di dipendere eccessivamente dal partner, trascurando amici, famiglia e altre relazioni che erano una volta centrali nella vita di un individuo. Questo, a lungo termine, può portare a una sensazione di isolamento e a una dipendenza emotiva insana.

L'indipendenza, in questo contesto, non implica distanza o freddezza nella relazione. Significa piuttosto avere la libertà e la capacità di esplorare, crescere e svilupparsi come individuo, mantenendo contemporaneamente una connessione profonda e significativa con il proprio partner. Una vita sociale attiva e un senso di indipendenza possono arricchire una relazione, portando nuove esperienze, storie e prospettive da condividere con il partner.

La sfida, quindi, sta nel trovare l'equilibrio giusto. Da un lato, è importante dedicare tempo e energia alla propria relazione, assicurandosi che sia nutriente e soddisfacente. Dall'altro, è essenziale preservare e coltivare le proprie relazioni e interessi personali, assicurandosi di avere uno spazio solo per sé, dove si può crescere, riflettere e ricaricarsi.

In sintesi, mantenere una vita sociale al di fuori della relazione non solo è benefico per l'individuo, ma può anche arricchire e fortificare la relazione stessa. È un investimento nel proprio benessere e in quello del partner, garantendo che entrambe le parti siano soddisfatte, equilibrate e, soprattutto, felici. La chiave è la comunicazione, l'ascolto e la comprensione reciproca, che permettono di navigare attraverso le complessità di mantenere l'indipendenza mentre si è profondamente connessi con un altro essere umano.

15. Attenzione ai dettagli Piccoli gesti possono avere un grande impatto. Nota le piccole cose che piacciono al tuo partner.

In un mondo sempre più veloce e distratto, l'attenzione ai dettagli è diventata un'arte sempre più rara, ma decisamente preziosa, soprattutto quando parliamo di relazioni sentimentali. Quando due persone decidono di condividere la loro vita, spesso si concentrano sulle grandi esperienze, come le vacanze, gli anniversari o le celebrazioni speciali. Tuttavia, sono i piccoli momenti e gesti quotidiani che costituiscono la maggior parte del tempo trascorso insieme e che possono avere l'impatto più profondo.

Prestare attenzione ai dettagli significa, ad esempio, notare quando il tuo partner ha cambiato pettinatura o indossa qualcosa di nuovo e complimentarsi con lui/lei. Significa ricordare che tipo di tè preferisce dopo una lunga giornata o quale canzone lo/la fa sentire meglio quando è giù di morale.

Ogni dettaglio racconta una storia: quella di quanto tu conosca e comprenda veramente il tuo partner. Ad esempio, sorprendere il tuo partner con la sua barretta di cioccolato preferita quando ha avuto una giornata stressante o mettere quella canzone che entrambi amate mentre cucinate insieme, sono dimostrazioni tangibili di quanto tu tenga a lui/lei e di quanto tu sia in sintonia con le sue esigenze e desideri.

Oltre a rafforzare il legame tra i partner, questi gesti mostrano anche una profonda forma di rispetto. Indica che non dai per scontata la presenza del tuo partner nella tua vita e che sei disposto a fare quel passo in più per mostrare quanto tenga a lui/lei.

Ma prestare attenzione ai dettagli va anche oltre i gesti tangibili. Significa anche notare i cambiamenti di umore o comportamento del tuo partner. Se sembra più silenzioso o triste del solito, potrebbe essere il momento di sedersi e chiedergli come si sente, dimostrando che sei lì per lui/lei in ogni momento, non solo nei momenti felici.

Attenersi ai dettagli nel contesto delle relazioni può sembrare una preoccupazione minore, ma ha radici profonde nel tessuto della comprensione umana e nella costruzione di un legame sano e duraturo.

Osservare i dettagli è una manifestazione di empatia. L'empatia non riguarda solo la capacità di mettersi nei panni dell'altro, ma anche di percepire e rispondere alle sfumature emotive. Ad esempio, notare che il tuo partner ha l'abitudine di torcere le mani quando è nervoso e offrire un conforto silenzioso può fare una differenza significativa nella sua percezione del tuo sostegno.

Inoltre, la cura per i dettagli spesso si traduce in azioni che possono sembrare banali, ma che hanno un impatto profondo. Preparare una colazione al letto con quel particolare ingrediente che il tuo partner adora, o ricordare di spegnere le luci in salotto perché sa che gli fa male agli occhi la sera, sono piccoli gesti che accumulandosi creano un mosaico di attenzioni che nutrono l'affetto reciproco.

È interessante notare che, in molti casi, sono proprio questi dettagli che vengono ricordati con affetto molti anni dopo. Mentre le grandi vacanze o i regali costosi possono sfumare nel tempo, è il ricordo di quel piccolo ristorante trovato per caso durante una passeggiata o il modo in cui il tuo partner ti teneva la mano in un momento di bisogno che rimangono impressi nella memoria.

La consapevolezza dei dettagli può anche aiutare a prevenire incomprensioni. Capire, ad esempio, che il tuo partner potrebbe essere irritabile non perché è arrabbiato con te, ma perché ha avuto una brutta giornata al lavoro, ti aiuta a non prendere le cose in modo personale. E, al contrario, se tu noti che il tuo partner sembra distratto e capisci che sta attraversando un periodo stressante, potresti scegliere di non affrontare una discussione complicata proprio in quel momento.

Oltre all'empatia e alla prevenzione delle incomprensioni, l'attenzione ai dettagli aiuta anche a mantenere viva la scintilla in una relazione. La routine può lentamente insinuarsi nelle relazioni di lunga data, ma sorprendere il tuo partner con piccoli gesti inaspettati, che mostrano che stai ancora prestando attenzione, può ravvivare la passione e la connessione.

Infine, il dettaglio ha a che fare con la presenza. Vivere nel momento presente, prestando attenzione ai piccoli segnali che il tuo partner ti manda, è essenziale per mantenere una relazione fresca e dinamica. In un mondo sempre più digitalizzato e frenetico, trovare il tempo e la pazienza per concentrarsi sui dettagli della persona che ami è un dono raro ma inestimabile. L'attenzione ai dettagli, nella sua essenza, rappresenta un impegno profondo verso il benessere e la felicità del partner in una relazione. Questa attenzione, più che un insieme di azioni specifiche, è un modo di vivere e percepire il rapporto, dando priorità alla consapevolezza e alla comprensione.

Per molte persone, l'amore si manifesta attraverso le grandi gesta: regali lussuosi, vacanze esotiche, promesse eteree di devozione. Tuttavia, come suggeriscono innumerevoli testimonianze e ricerche, sono spesso le piccole cose, quei dettagli apparentemente insignificanti, che consolidano veramente l'affetto e la fiducia all'interno di una coppia. Notare le sottigliezze nelle espressioni del partner, ricordare i suoi piccoli piaceri o alleviare i suoi disagi quotidiani possono avere un impatto molto più grande di quanto si possa immaginare.

Inoltre, questa attenzione sottolinea una presenza mentale e emotiva attiva nella relazione. Non si tratta solo di vedere, ma di notare; non solo di ascoltare, ma di comprenderne il significato più profondo. Ciò implica un'attitudine proattiva nella relazione, un desiderio di andare oltre la superficie e di connettersi a un livello più profondo.

Oltre a consolidare il legame con il partner, l'attenzione ai dettagli serve anche come un segnale di rispetto. Mostra che vedi il tuo partner come un individuo unico, con desideri, paure, speranze e sogni propri. Questa riconoscenza delle sue peculiarità contribuisce a creare un ambiente in cui entrambi si sentono apprezzati e valorizzati.

Naturalmente, come con qualsiasi aspetto di una relazione, l'attenzione ai dettagli richiede uno sforzo consapevole. Può essere facile cadere nella trappola della complacenza, soprattutto quando la vita diventa frenetica o stressante. Tuttavia, come un giardiniere che cura ogni pianta nel suo giardino, nutrire questi piccoli gesti e attenzioni può portare a una relazione fiorita e prospera.

In conclusione, l'attenzione ai dettagli non è solo una strategia per migliorare una relazione, ma piuttosto un modo di vivere quell'amore. Richiede sintonizzazione, empatia e un genuino interesse per il benessere dell'altro. Se coltivata con cura e dedizione, questa attenzione può trasformarsi in uno degli strumenti più potenti per costruire una relazione duratura e soddisfacente.

16. Salute e benessere Cura il tuo corpo e la tua mente. Una buona salute migliora la qualità delle relazioni.

La salute e il benessere non si limitano semplicemente all'assenza di malattie o infermità; rappresentano uno stato completo di benessere fisico, mentale e sociale. Questo concetto olistico della salute ha implicazioni profonde quando lo mettiamo in relazione con le dinamiche interpersonali e, in particolare, con la qualità delle relazioni.

Per iniziare, la salute fisica gioca un ruolo fondamentale nelle relazioni. Un corpo sano e attivo porta a una maggiore energia, resistenza e vivacità. Questo non solo migliora la capacità di un individuo di impegnarsi in attività condivise con il partner, ma può anche influenzare positivamente la percezione di sé, l'immagine corporea e la confidenza. Ad esempio, l'attività fisica regolare, come fare passeggiate insieme o praticare uno sport, può diventare un'occasione preziosa per rafforzare il legame e condividere momenti di qualità.

Allo stesso modo, una dieta equilibrata e una corretta nutrizione possono influire sullo stato d'animo, sulla capacità di gestire lo stress e sull'equilibrio ormonale, tutti fattori che possono influenzare direttamente la qualità e la dinamica di una relazione.

Ma oltre alla salute fisica, il benessere mentale ed emotivo è di fondamentale importanza. Una mente sana può navigare meglio attraverso i complicati intricati delle relazioni, gestendo i conflitti con maggiore efficacia, esprimendo empatia e comprensione e costruendo ponti di comunicazione. Inoltre, pratiche come la meditazione, lo yoga e la mindfulness possono migliorare la consapevolezza di sé e la capacità di gestire le emozioni, favorendo una comunicazione aperta e onesta con il partner.

Allo stesso modo, prendersi cura del proprio benessere emotivo attraverso terapie, counselling o semplici pratiche quotidiane di gratitudine e riflessione può creare un ambiente interiore stabile e positivo. Questo, a sua volta, può riflettersi in interazioni esterne, rendendo le conversazioni più costruttive e gli scambi emotivi più autentici.

E non dobbiamo dimenticare l'importanza della salute sociale, che comprende la capacità di instaurare relazioni sane, comunicare efficacemente e creare legami autentici. Un forte senso di appartenenza e connessione con gli altri può fornire una rete di sicurezza, riducendo la sensazione di isolamento e solitudine.

Inoltre, una salute ottimale si traduce in una maggiore longevità, il che significa più anni da trascorrere con le persone care, condividendo esperienze preziose e costruendo ricordi duraturi.

In breve, prendersi cura della propria salute e benessere non è solo un investimento personale, ma è anche un regalo che si fa al partner e alle persone intorno. Una buona salute consente di vivere la relazione in modo più pieno, attivo e consapevole, rendendo ogni momento condiviso ancora più prezioso.

Una relazione richiede energia, vitalità e presenza mentale per fiorire, e il benessere fisico e mentale degli individui è strettamente legato a questi elementi. Infatti, quando parliamo di salute e benessere, stiamo parlando di un ecosistema complesso di fattori che interagiscono in modi sottili e profondi.

Dalla dimensione psicologica, la salute mentale può influenzare notevolmente le capacità di ascolto, empatia e pazienza. Ad esempio, le persone che soffrono di ansia o depressione possono trovarsi a lottare con le sfide comunicative o possono interpretare erroneamente le azioni o le parole del partner. Al contrario, chi pratica regolarmente l'auto-riflessione e si dedica al proprio benessere mentale può essere più aperto, ricettivo e resiliente di fronte ai problemi.

Ma la salute mentale non è l'unico aspetto del benessere che ha un impatto sulle relazioni. La salute fisica, in particolare, ha un ruolo cruciale in come ci presentiamo e interagiamo nelle nostre relazioni. Le persone che si impegnano in routine di esercizio fisico, per esempio, possono godere di benefici come un migliore sonno, maggiore energia e maggiore chiarezza mentale. Questi benefici, a loro volta, possono rendere le interazioni con il partner più vivaci, piacevoli e produttive.

Inoltre, ci sono studi che dimostrano che l'esercizio fisico può effettivamente aumentare i livelli di certi neurotrasmettitori nel cervello, come la serotonina e le endorfine, che sono associati al benessere e all'umore positivo. Quindi, andare in palestra o fare una camminata insieme non solo può essere un'attività di coppia divertente e rafforzante, ma può anche portare a un miglioramento dell'umore e della connessione emotiva.

Un altro aspetto importante del benessere fisico è l'alimentazione. Una dieta equilibrata e nutriente può influenzare notevolmente l'equilibrio ormonale, la chiarezza mentale e l'energia. Mangiare cibi ricchi di nutrienti e antiossidanti, ad esempio, può aiutare a combattere l'infiammazione nel corpo e a promuovere la salute del cervello. Quando ci sentiamo al meglio fisicamente, tendiamo anche a sentirci più sicuri di noi stessi, il che può riflettersi positivamente nelle nostre interazioni con gli altri.

Infine, la gestione dello stress è un aspetto fondamentale della salute e del benessere che può avere ripercussioni dirette sulla qualità delle relazioni. Lo stress cronico può portare a irritabilità, insonnia, ansia e molti altri problemi che possono interferire con la capacità di connettersi con il partner. Ecco perché pratiche come la meditazione, la respirazione profonda e il rilassamento progressivo possono essere strumenti preziosi per mantenere l'equilibrio e la serenità nelle relazioni.

Quindi, mentre la salute e il benessere possono sembrare inizialmente concetti legati esclusivamente all'individuo, in realtà sono profondamente intrecciati con la trama delle nostre interazioni quotidiane e delle nostre relazioni più intime. Essere consapevoli di questo legame può motivare a fare scelte più salutari non solo per se stessi, ma anche per il bene della relazione.

Nella società odierna, l'attenzione alla salute e al benessere è diventata sempre più centrale, non solo come aspetto individuale ma anche come fondamento delle relazioni di successo. La salute, in tutte le sue sfaccettature, si traduce in una maggiore consapevolezza di sé, una maggiore presenza mentale e una capacità migliorata di gestire le dinamiche relazionali.

Pensiamo, per esempio, al ruolo del sonno. Dormire bene non è solo una necessità biologica, ma ha profonde ripercussioni sul nostro equilibrio emotivo e sulle capacità cognitive. Una privazione cronica del sonno può portare a irritabilità, diminuzione della tolleranza allo stress e persino a problemi di memoria. Questo può avere un impatto diretto sulla nostra capacità di interagire con gli altri, riducendo la nostra pazienza e la capacità di ascolto. Ecco perché la creazione di una routine che permetta un sonno adeguato e riposante è fondamentale non solo per il benessere individuale, ma anche per mantenere relazioni sane e armoniose.

Ancora, l'ambiente in cui viviamo gioca un ruolo cruciale nel nostro benessere. Vivere in un ambiente pulito, ordinato e armonico può contribuire a ridurre i livelli di stress e aumentare la sensazione di benessere. Questo, a sua volta, può riflettersi in una maggiore serenità nelle interazioni quotidiane. D'altra parte, un ambiente caotico o inquinato può avere l'effetto opposto, innescando tensioni e malumori che possono influire negativamente sulle relazioni.

Anche l'importanza dell'attività all'aria aperta non può essere sottovalutata. L'esposizione regolare alla luce naturale, il contatto con la natura e l'aria fresca hanno effetti benefici dimostrati sulla psiche umana. Può migliorare l'umore, ridurre i sintomi depressivi e aumentare i livelli di energia. Attività come il trekking, il ciclismo o semplicemente fare una passeggiata in un parco possono diventare occasioni preziose per rafforzare legami, comunicare in un contesto rilassato e, allo stesso tempo, migliorare la propria salute.

Consideriamo anche la dimensione spirituale e come essa interagisca con il benessere. La spiritualità, intesa come una profonda connessione con sé stessi, con gli altri e con l'universo, può offrire un rifugio, una fonte di forza e una bussola morale. Pratiche spirituali, come la preghiera, la meditazione o la lettura di testi sacri, possono aiutare a coltivare una sensazione di pace interiore, di propósito e di appartenenza. Questo senso di connessione e comprensione più profonda può agire come un potente antidoto alle sfide e alle tensioni della vita moderna, arricchendo la qualità delle interazioni personali.

Inoltre, il concetto di "self-care" si sta sempre più diffondendo. Dedica del tempo a te stesso, ai tuoi hobby, alla tua passione, alle cose che ti fanno sentire bene, è fondamentale. Se una persona è costantemente stressata e non si prende cura di sé, diventa difficile per lei prendersi cura degli altri e costruire relazioni solide. La relazione con se stessi è la base di tutte le altre relazioni.

Concludendo, quando parliamo di salute e benessere in relazione alle dinamiche interpersonali, non ci stiamo riferendo esclusivamente a una condizione di assenza di malattia o di benessere fisico. Si tratta piuttosto di un concetto olistico che integra aspetti fisici, psicologici, sociali e spirituali dell'essere umano. Questa visione olistica è fondamentale per comprendere come ogni sfaccettatura del benessere influenzi le nostre relazioni e, a sua volta, come le relazioni possano influenzare il nostro stato di benessere.

Un corpo sano, ad esempio, non solo ci permette di vivere esperienze condivise, come attività fisica o viaggi, ma ci fornisce anche l'energia e la vitalità necessarie per impegnarci in modo attivo e costruttivo nelle nostre interazioni quotidiane. Una mente equilibrata, arricchita da una solida intelligenza emotiva e da una costante curiosità intellettuale, ci consente di navigare attraverso i complessi paesaggi delle relazioni umane, di comprendere le sfumature e di reagire con empatia e comprensione.

La dimensione sociale del benessere, invece, riguarda la nostra capacità di creare, mantenere e nutrire legami significativi. Questo implica la capacità di comunicare efficacemente, di ascoltare, di mostrare empatia, ma anche di stabilire confini e di proteggere il nostro spazio personale.

La dimensione spirituale del benessere, che può o non può essere legata a una specifica tradizione religiosa, ci offre un contesto più ampio in cui inquadrare le nostre esperienze, un senso di propósito e di connessione che può arricchire ulteriormente la nostra vita e le nostre relazioni.

D'altra parte, è anche vero che le relazioni sane e soddisfacenti possono potenziare il nostro benessere, offrendoci sostegno, amore, comprensione e un senso di appartenenza che può agire come un potente tampone contro lo stress e le avversità della vita.

In sintesi, salute e benessere sono concetti strettamente intrecciati alle relazioni umane. Nutrire il proprio benessere significa, in ultima analisi, creare le condizioni ottimali per relazioni di successo, mentre avere relazioni solide e positive può amplificare e rafforzare il nostro stato di benessere. Questa interdipendenza sottolinea l'importanza di prendersi cura di sé in modo completo e olistico, riconoscendo che il nostro benessere individuale ha ripercussioni profonde non solo su di noi, ma anche su tutti coloro che ci circondano.

17. **Valori e obiettivi Condividi i tuoi valori e allinea i tuoi obiettivi con il tuo partner per una connessione duratura**.

Valori e obiettivi sono fondamentali nella definizione dell'identità di un individuo e nella direzione che sceglie di intraprendere nella sua vita. In una relazione, essi svolgono un ruolo chiave nel determinare la profondità e la durata del legame tra due persone.

I valori, innanzitutto, rappresentano quelle convinzioni e principi fondamentali che una persona considera di primaria importanza nella sua vita. Si tratta di ideali che spesso vengono trasmessi dalla famiglia, dalla cultura o da esperienze significative e che orientano le decisioni e le azioni quotidiane. Essi influenzano aspetti come le scelte etiche, le priorità in termini di tempo e risorse, e persino le decisioni riguardanti la carriera, la famiglia e gli amici.

In una relazione, condividere valori simili può favorire un profondo senso di connessione e comprensione. Quando due persone vedono il mondo attraverso una lente simile e apprezzano le stesse cose, è più facile navigare attraverso i vari aspetti della vita insieme, sostenersi a vicenda e costruire un futuro comune. Ciò non significa che i partner debbano essere identici in ogni loro credenza, ma avere valori fondamentali allineati può fungere da solido fondamento su cui costruire.

Gli obiettivi, d'altra parte, riguardano le aspirazioni e le mete specifiche che una persona desidera raggiungere. Gli obiettivi possono variare ampiamente, dall'ambito professionale a quello personale, dall'acquisizione di competenze alla crescita spirituale. In una relazione, è importante non solo comprendere gli obiettivi del proprio partner, ma anche allinearli in modo che entrambi possano crescere e prosperare insieme. Questo non implica necessariamente che entrambi i partner debbano avere gli stessi obiettivi, ma piuttosto che ci sia uno spazio e un rispetto reciproco per sostenersi a vicenda nel raggiungimento di tali mete.

Condividere obiettivi simili può anche significare sognare insieme, pianificare avventure condivise e lavorare come una squadra per superare ostacoli e sfide. Questo tipo di allineamento rafforza il senso di squadra e l'intimità tra i partner, rendendo la relazione più resiliente di fronte alle avversità.

I valori e gli obiettivi in una relazione vanno oltre il semplice allineamento di credenze e aspirazioni. Essi sono il barometro che misura la sincronicità tra due persone, indicando quanto profondamente possono intrecciare le loro vite e costruire un futuro condiviso.

Analizziamo, ad esempio, il concetto di valori da una prospettiva diversa. I valori, oltre a essere principi guida, sono anche strumenti che ci aiutano a navigare nel complicato tessuto delle relazioni umane. Sono come delle bussole che ci indicano se stiamo procedendo nella giusta direzione o se stiamo deviando dal nostro percorso ideale. Quando due individui hanno valori divergenti, possono sorgere tensioni: ciò che per una persona è accettabile o addirittura auspicabile, potrebbe essere problematico o inaccettabile per l'altro. Ad esempio, se uno dei partner valuta fortemente la libertà individuale, mentre l'altro pone l'accento sulla coesione familiare, potrebbero sorgere conflitti su decisioni come dove vivere o come trascorrere il tempo libero.

Ma ciò non significa che valori diversi non possano coesistere in una relazione. Al contrario, queste differenze possono arricchire la connessione, introducendo nuove prospettive e sfide che possono portare a una maggiore crescita personale e reciproca. La chiave sta nel riconoscere queste differenze, nel comunicare apertamente su di esse e nel trovare compromessi che rispettino le credenze e i desideri di entrambi.

Per quanto riguarda gli obiettivi, essi rappresentano la traiettoria desiderata per il futuro. Mentre i valori possono essere visti come la bussola, gli obiettivi sono la destinazione. In una relazione, è vitale non solo rispettare e sostenere gli obiettivi del partner, ma anche trovare modi per integrarli nella visione condivisa di un futuro insieme. Questo può riguardare aspetti tangibili, come dove vivere o come gestire le finanze, ma anche aspetti più eterei, come il tipo di esperienze che si desidera vivere o il tipo di impatto che si desidera avere nel mondo.

Una sfida comune nelle relazioni è quando gli obiettivi personali iniziano a divergere. Ad esempio, se uno dei partner desidera trasferirsi all'estero per seguire una carriera, mentre l'altro vuole rimanere vicino alla famiglia, questo può creare tensioni. Ma, come per i valori, anche qui la comunicazione e il compromesso sono fondamentali. Forse la coppia può trovare una soluzione intermedia, come vivere all'estero per un periodo determinato o trovare modi per mantenere una connessione stretta con la famiglia pur vivendo lontano.

In definitiva, valori e obiettivi rappresentano la struttura portante su cui si costruisce una relazione. Essi determinano come due persone interagiscono, come affrontano le sfide e come immaginano il loro futuro condiviso. E mentre possono esserci divergenze e sfide lungo il percorso, con empatia, comunicazione e volontà di trovare soluzioni condivise, questi pilastri possono rafforzare e arricchire il legame tra due individui.

Comprendere e allineare i valori e gli obiettivi in una relazione non è solo una questione di convenienza o compatibilità superficiale. Rappresenta, invece, la fondazione e la forza trainante di una connessione duratura e profonda tra due individui.

I valori sono le convinzioni fondamentali che guida la nostra percezione del mondo e le decisioni che prendiamo ogni giorno. Essi sono il risultato di una combinazione di esperienze passate, educazione, cultura e introspezione personale. Quando due persone entrano in una relazione, non portano con sé solo le proprie preferenze o interessi, ma un intero retaggio di valori che hanno formato il loro modo di vedere e interagire con il mondo. Questi valori influenzano tutto, dalle grandi decisioni di vita, come la religione o la politica, alle piccole quotidiane, come come spendere il tempo o il denaro.

Allineare questi valori con quelli del partner non significa necessariamente condividerli in ogni dettaglio, ma piuttosto comprenderli, rispettarli e trovare un terreno comune. Questa allineamento diventa la colla che mantiene unita la coppia, permettendo loro di navigare attraverso sfide e incertezze con una visione condivisa del mondo e della loro posizione in esso.

Gli obiettivi, d'altro canto, sono le aspirazioni e i sogni che abbiamo per il futuro. Essi rappresentano dove vogliamo andare, cosa vogliamo realizzare e chi vogliamo diventare. Nell'ambito di una relazione, gli obiettivi personali possono spesso diventare obiettivi condivisi, dando alla coppia una direzione e uno scopo comuni. Se i valori sono la bussola, gli obiettivi sono la mappa che guida la coppia attraverso la loro avventura congiunta.

Tuttavia, la divergenza degli obiettivi può portare a tensioni. Ecco perché è fondamentale non solo comunicare apertamente sui propri obiettivi, ma anche essere disposti a fare compromessi e ad adattare questi obiettivi in base alle esigenze e ai desideri del partner. Un allineamento degli obiettivi non solo previene conflitti, ma anche motiva entrambi i partner a sostenersi a vicenda nelle loro aspirazioni.

In conclusione, i valori e gli obiettivi sono fondamentali per una relazione salda e duratura. Essi forniscono una base comune su cui costruire, una direzione verso cui andare e una visione condivisa del futuro. Una relazione in cui entrambi i partner comprendono, rispettano e allineano i loro valori e obiettivi è una relazione che non solo sopravvive, ma prospera, cresce e si approfondisce nel corso del tempo.

18.   Empatia Metti sempre te stesso nei panni del tuo partner e cerca di comprendere il suo punto di vista

L'empatia è uno degli strumenti più potenti che possediamo come esseri umani per connetterci profondamente con gli altri. Va oltre la semplice simpatia o compassione; l'empatia richiede di immergersi veramente nelle emozioni e nelle esperienze altrui. Questa capacità di mettersi nei panni dell'altro può avere un impatto profondo sulle relazioni, permettendo di creare legami più forti, di risolvere conflitti e di comprendere meglio le persone che ci circondano.

Molte persone pensano all'empatia come a una capacità innata, ma in realtà è una competenza che può essere sviluppata e affinata. L'ascolto attivo, per esempio, è un'abilità essenziale per l'empatia. Significa prestare piena attenzione a ciò che l'altra persona sta dicendo, senza interruzioni o giudizi. L'ascolto attivo dà all'interlocutore lo spazio per esprimere i propri sentimenti e pensieri, permettendoci di comprenderli a un livello più profondo.

Inoltre, l'empatia implica anche la capacità di riconoscere e accettare le proprie emozioni. Quando siamo in contatto con i nostri sentimenti, è più facile identificarli e comprenderli negli altri. Questa autoconsapevolezza può aiutarci a reagire in modo più adeguato quando ci confrontiamo con le emozioni altrui, piuttosto che reagire in modo impulsivo o difensivo.

Nel contesto delle relazioni, l'empatia può essere la chiave per superare ostacoli e malintesi. Quando si verificano conflitti o disaccordi, l'empatia ci permette di vedere oltre le nostre difese e di considerare la prospettiva dell'altro. Questa prospettiva più ampia può aiutarci a trovare soluzioni che tengano conto delle esigenze di entrambe le parti, rafforzando il legame e aumentando la fiducia.

L'empatia può anche aiutarci a evitare conflitti in primo luogo. Quando ci sforziamo attivamente di comprendere le esperienze e i sentimenti del nostro partner, diventa più facile anticipare le sue esigenze e reagire in modo appropriato. Questa attenzione e cura possono portare a una maggiore intimità e connessione, rendendo la relazione più forte e resistente agli alti e bassi della vita.

Infine, è importante ricordare che l'empatia non significa semplicemente accettare tutto ciò che l'altro dice o fa. Significa piuttosto cercare di comprenderlo, senza necessariamente essere d'accordo. Questa distinzione è cruciale, poiché permette di mantenere i propri limiti e valori, pur essendo aperti e ricettivi alle esigenze e alle esperienze dell'altro.

Il concetto di empatia può essere anche esplorato attraverso una lente culturale e storica. Varie culture e società hanno concepito e praticato l'empatia in modi diversi, mostrando come sia un costrutto fluido e malleabile che cambia nel tempo e nello spazio. Per esempio, alcune tradizioni indigene considerano l'empatia non solo come una capacità di mettersi nei panni degli altri esseri umani, ma anche di comprendersi reciprocamente con la natura e gli animali. Questo legame empatico con l'ambiente naturale sottolinea l'idea che l'empatia non sia limitata solo alle relazioni umane, ma possa estendersi a un dominio molto più ampio.

La neuroscienza ha anche fornito intuizioni affascinanti sull'empatia. Studi sul cervello hanno identificato aree specifiche, come i neuroni specchio, che si attivano sia quando sperimentiamo un'azione o un'emozione sia quando osserviamo qualcun altro farlo. Questa scoperta ha portato alla comprensione che l'empatia ha radici biologiche profonde e può essere considerata parte integrante della condizione umana.

Tuttavia, sebbene ci possano essere basi biologiche per l'empatia, ci sono anche molte forze sociali e ambientali che influenzano la sua espressione. L'educazione, per esempio, gioca un ruolo cruciale nel plasmare la nostra capacità empatica. Le esperienze infantili, come l'essere ascoltati e compresi dai genitori o dagli insegnanti, possono promuovere lo sviluppo dell'empatia. Al contrario, esperienze di trascuratezza o abuso possono ostacolarlo.

Inoltre, vivere in una società multiculturale può arricchire la nostra capacità empatica, poiché ci esponiamo a una varietà di prospettive e esperienze. Immergersi in culture diverse, apprendere nuove lingue o viaggiare può allargare i nostri orizzonti e farci apprezzare la profondità e la complessità dell'esperienza umana.

Va anche detto che, in alcuni contesti, l'empatia potrebbe essere vista come un segno di debolezza o vulnerabilità, soprattutto in ambienti altamente competitivi o in situazioni di conflitto. Tuttavia, anche in questi contesti, l'empatia può servire come uno strumento prezioso per la mediazione e la risoluzione dei conflitti, facilitando la comunicazione e la comprensione reciproca.

In sintesi, l'empatia è una capacità complessa e sfaccettata, radicata nella nostra biologia ma anche influenzata da fattori culturali, sociali ed educativi. La sua pratica consapevole può arricchire le nostre relazioni e la nostra comprensione del mondo, rendendoci più aperti, accoglienti e connessi con gli altri.

L'empatia è, senza dubbio, uno dei tratti più potenti e necessari per costruire e mantenere relazioni significative nella vita di un individuo. È un amalgama complesso di fattori biologici, psicologici e sociali che consente agli individui di connettersi profondamente con gli altri.

A livello neurologico, come menzionato, la scoperta dei neuroni specchio ha rivoluzionato la nostra comprensione dell'empatia. Questi neuroni ci permettono di "riflettere" le azioni e le emozioni degli altri come se fossero le nostre. Essi rappresentano il fondamento biologico che ci consente di "sentire" ciò che un'altra persona sta provando. Ciò ha enormi implicazioni non solo per le relazioni interpersonali, ma anche per l'educazione, la psicoterapia e la mediazione.

Dal punto di vista psicologico, l'empatia è legata alla nostra capacità di auto-riflessione e auto-consapevolezza. Questa comprensione di sé è ciò che permette agli individui di riconoscere e interpretare le proprie emozioni, nonché di proiettare questa comprensione sugli altri. Ecco perché le persone con un elevato livello di intelligenza emotiva sono spesso più empatiche: sono in grado di riconoscere le proprie emozioni e, di conseguenza, di "leggerle" anche negli altri.

Culturalmente, le società variano in termini di quanto valore attribuiscono all'empatia. Mentre alcune culture possono enfatizzare l'importanza dell'individualismo e della competizione, altre possono dare maggior peso alla comunità, alla condivisione e alla comprensione reciproca. Tuttavia, in qualsiasi contesto, l'empatia si dimostra un ponte potente tra gli individui, aiutando a superare le differenze e a creare legami.

Nelle relazioni, l'empatia funge da collante. Permette alle coppie di superare disaccordi, malintesi e conflitti. Inoltre, consente alle persone di sostenersi a vicenda nei momenti di difficoltà, creando un senso di sicurezza e appartenenza.

Tuttavia, è essenziale sottolineare che l'empatia non è un dato di fatto. Richiede sforzo, pratica e, soprattutto, la volontà di aprirsi e di essere vulnerabili. Implica l'ascolto attivo, la pazienza e la capacità di mettere da parte il proprio ego per entrare veramente nel mondo di un altro.

In conclusione, l'empatia è molto più di una semplice reazione emotiva; è una capacità profondamente radicata che richiede consapevolezza, comprensione e pratica. In un mondo sempre più interconnesso e interdipendente, nutrire e coltivare l'empatia è essenziale per creare un futuro più unito e compassionevole. La sua presenza, o assenza, può definire la qualità e la profondità delle nostre interazioni e delle nostre relazioni. Pertanto, investire nell'empatia è, in ultima analisi, investire in noi stessi e nella nostra collettività.

19. Romanticismo Non perdere mai l'opportunità di essere romantico, indipendentemente da quanto tempo sia passato.

Il romanticismo, una delle componenti fondamentali di molte relazioni amorose, ha radici profonde nella nostra storia culturale e personale. È stato idealizzato, poetizzato, rappresentato in innumerevoli opere d'arte, musica e letteratura. E non senza motivo: il romanticismo ha il potere di rinfrescare e ravvivare un legame, mantenendo viva la passione e la connessione emotiva.

In un'era dominata dalla tecnologia e dalla comunicazione digitale, il concetto di romanticismo può sembrare in qualche modo obsoleto o fuori moda. Tuttavia, al di là dei gesti grandiosi e delle grandi dichiarazioni d'amore rappresentate nei film o nei romanzi, il vero romanticismo risiede spesso nelle piccole cose. Può essere un messaggio inaspettato durante la giornata, un complimento sincero, una canzone condivisa o un semplice sguardo carico di significato.

Il romanticismo non è solo una questione di gesti; è un modo di percepire e connettersi con il mondo e con il proprio partner. È un modo di vedere la bellezza nel quotidiano, di trovare magia nei momenti più banali. Questa sensibilità può manifestarsi in diversi modi: una passeggiata mano nella mano, una cena a lume di candela fatta in casa, oppure guardare insieme le stelle in una notte serena.

Inoltre, il romanticismo non ha un'età. Anzi, spesso si intensifica con il passare degli anni. Mentre la passione può avere picchi e valli, il romanticismo autentico, nutrito da una profonda comprensione e apprezzamento reciproco, può durare una vita intera. Allo stesso tempo, è essenziale evitare di dare il romanticismo per scontato. Richiede impegno, attenzione e, soprattutto, consapevolezza delle esigenze e dei desideri del proprio partner.

In un mondo frenetico e spesso impersonale, il romanticismo rappresenta una boccata d'aria fresca, un ritorno alle emozioni genuine e profonde. E mentre la società evolve e cambia, il bisogno umano di connessione, intimità e romanticismo rimane costante.

Per molti, il romanticismo è anche una via di fuga. In mezzo agli impegni quotidiani, alle pressioni del lavoro e alle sfide della vita, un gesto romantico può funzionare come un'oasi, un momento di pausa e di riconnessione con ciò che è veramente importante. E non è solo benefico per la relazione di coppia; fa bene anche all'individuo, offrendo una sensazione di apprezzamento, amore e connessione.

Infine, è importante ricordare che il romanticismo non ha una definizione univoca. Ciò che è romantico per una persona potrebbe non esserlo per un'altra. La chiave è la sintonia con il proprio partner, capire ciò che lo fa sentire amato e speciale, e agire di conseguenza. Indipendentemente da come si manifesti, il romanticismo ha il potere di creare momenti indimenticabili e di approfondire il legame tra due persone.

il romanticismo ha giocato un ruolo fondamentale nelle dinamiche relazionali fin dai tempi antichi. Se si guarda alla storia, molte civiltà hanno le loro storie d'amore leggendarie e epiche, come Romeo e Giulietta in Europa o Heer e Ranjha nel subcontinente indiano, che enfatizzano l'importanza e la potenza dell'amore romantico. Queste storie, pur essendo tragedie, hanno posto l'accento su quanto le persone sono disposte a sacrificare in nome dell'amore e del romanticismo.

Nell'età moderna, con l'evoluzione dei mezzi di comunicazione e della tecnologia, le modalità di espressione romantica sono cambiate, ma l'essenza rimane la stessa. Al giorno d'oggi, un gesto romantico può essere anche un'emoji inviata attraverso un'app di messaggistica o una playlist condivisa su una piattaforma di streaming musicale. Questi piccoli atti dimostrano che, nonostante i cambiamenti nel modo in cui interagiamo, il bisogno di esprimere amore e affetto attraverso gesti romantici rimane immutato.

Un altro aspetto interessante del romanticismo è il suo impatto sulla salute mentale. Studi hanno dimostrato che le persone che vivono esperienze romantiche e sono in relazioni amorevoli tendono a essere più felici, hanno livelli più bassi di stress e sono generalmente più soddisfatte della loro vita. Questo perché il romanticismo, oltre a rafforzare il legame con il partner, rafforza anche l'autostima e il senso di appartenenza di una persona.

D'altra parte, è fondamentale riconoscere che il romanticismo non è legato esclusivamente alle relazioni amorose. Può essere presente in qualsiasi tipo di rapporto: tra amici, familiari e persino colleghi. Un gesto gentile, come fare una sorpresa a un amico o passare del tempo con un familiare, può essere altrettanto potente e significativo come un regalo o una serata romantica con un partner.

È anche essenziale sottolineare che il romanticismo non è una strada a senso unico. In una relazione, entrambe le parti dovrebbero sentirsi libere di esprimersi romanticamente, senza sentirsi obbligate o sotto pressione. La reciprocità è fondamentale, e ogni individuo ha il suo modo unico di percepire ed esprimere il romanticismo.

La cultura e la società giocano anche un ruolo significativo nel plasmare le nostre idee sul romanticismo. Mentre alcune culture potrebbero enfatizzare l'importanza dei grandi gesti, altre potrebbero valorizzare la profondità e la sincerità di piccoli atti quotidiani. Quindi, mentre navighiamo nel vasto oceano del romanticismo, è vitale rimanere aperti e comprensivi, imparando e accogliendo le diverse sfumature dell'amore e del romanticismo da tutto il mondo.

Il romanticismo, nel corso della storia e attraverso diverse culture, ha dimostrato di essere una componente essenziale delle relazioni umane, un ingrediente che arricchisce la trama della nostra esistenza e fornisce profondità alle nostre interazioni. Si manifesta in una miriade di modi, a seconda delle circostanze individuali, culturali e temporali, eppure, alla sua essenza, rappresenta un bisogno intrinseco di connessione, apprezzamento e vicinanza.

In questa era tecnologica in cui viviamo, è facile dimenticare o trascurare la potenza di un gesto genuino, di un momento condiviso o di una parola gentile. Eppure, proprio come le storie d'amore che hanno resistito alla prova del tempo, il romanticismo, nelle sue molteplici forme, continua a giocare un ruolo cruciale nelle nostre vite. Questo perché, al di là della sua manifestazione esteriore, il romanticismo tocca il cuore dell'esperienza umana: il desiderio di essere visti, capiti e valorizzati.

Gli effetti positivi del romanticismo sulla salute mentale ed emotiva delle persone sono incommensurabili. Si riflette non solo nel benessere individuale ma anche nella qualità delle relazioni e, di conseguenza, nella trama della società nel suo complesso. L'amore, espresso attraverso atti romantici, crea un senso di sicurezza, appartenenza e benessere. Ogni gesto, indipendentemente dalla sua grandezza, ha il potere di accendere una scintilla, rinvigorire un rapporto o guarire una ferita.

Tuttavia, la chiave per sfruttare appieno il potere del romanticismo risiede nella genuinità e nella consapevolezza. Non si tratta di seguire un copione o di adempiere a un dovere, ma di essere presenti, di ascoltare e di rispondere alle esigenze e ai desideri del proprio partner, amico o familiare. Questo richiede un impegno costante, una volontà di imparare e crescere e, soprattutto, un cuore aperto.

In conclusione, il romanticismo, con le sue sfaccettature e manifestazioni, rimane uno degli aspetti più vitali e influenti delle nostre vite. È un promemoria del potere dell'amore e dell'importanza di mantenere vive le fiamme dell'affetto, dell'apprezzamento e della connessione. In un mondo che cambia rapidamente e che spesso può sembrare distante o disconnesso, il romanticismo serve come un faro, guidandoci verso la calore, la comprensione e la gioia che emergono da legami profondi e significativi.

20. Dedizione Impegnati nella relazione e nel farla funzionare. La dedizione è la chiave per superare le sfide.

La dedizione può essere considerata uno dei pilastri fondamentali di una relazione duratura e appagante. In un contesto dove la nostra cultura e società sono spesso dominate dalla ricerca dell'istantaneità e della gratificazione immediata, la dedizione emerge come una virtù sempre più preziosa. Esprime un impegno profondo, una determinazione incondizionata a lavorare per il bene della relazione, anche quando le cose diventano difficili.

Quando parliamo di dedizione, ci riferiamo a un impegno che va oltre la semplice infatuazione o l'attrazione fisica. Significa mettere la relazione al centro delle priorità, dedicando tempo, energia ed emozione per garantire che cresca e prosperi. La dedizione è manifestata in azioni concrete: ascoltare, comprendere, perdonare, e sacrificarsi quando necessario per il bene della relazione.

Una delle manifestazioni più potenti della dedizione è la capacità di restare fedeli al proprio partner anche nei momenti di difficoltà. Questo non significa ignorare i problemi o evitare confronti; al contrario, significa affrontare le sfide di petto, con una mentalità aperta e collaborativa, cercando soluzioni che favoriscano la crescita e l'armonia della coppia.

La dedizione, inoltre, va di pari passo con la fiducia. Una persona che è veramente dedicata alla sua relazione ha fiducia nel suo partner e nel legame che condividono. Questa fiducia rafforza la relazione, creando un ambiente sicuro in cui entrambi i partner si sentono valorizzati e supportati.

Ma è essenziale comprendere che la dedizione non significa perdere se stessi o i propri desideri e bisogni individuali. È piuttosto un equilibrio, dove l'individuo e la coppia coesistono in armonia. Impegnarsi in una relazione non significa sacrificare la propria individualità; significa piuttosto integrare i propri desideri e bisogni con quelli del partner, creando un legame che è sia gratificante che arricchente.

Una relazione che beneficia di un profondo livello di dedizione gode di una fondazione solida. Quando entrambi i partner sono impegnati a nutrire e proteggere il loro legame, diventa più facile superare gli ostacoli e affrontare le tempeste insieme. Questo tipo di impegno consente alla coppia di crescere insieme, di evolversi e di adattarsi ai cambiamenti che la vita inevitabilmente porta.

In sintesi, la dedizione è una forza potente, un impegno che nutre e protegge la relazione. Essa rappresenta una scelta consapevole di mettere la relazione al primo posto, di lavorare insieme per garantire che prosperi e fiorisca. Con dedizione, le sfide possono essere affrontate, i conflitti risolti e la relazione può raggiungere profondità e significati sempre nuovi.

La dedizione in una relazione può essere paragonata all'acqua per una pianta. Senza acqua, la pianta appassisce e muore; senza dedizione, una relazione rischia di diventare stagnante e infine di terminare. Ma cosa significa realmente essere dedicati? E come può un individuo coltivare e mantenere questo importante attributo nel contesto di una relazione?

In primo luogo, la dedizione implica una sorta di resilienza. La resilienza, in questo contesto, si riferisce alla capacità di resistere e recuperare dalle avversità. Ogni relazione, indipendentemente da quanto possa sembrare perfetta all'inizio, affronterà delle sfide. Potrebbero essere piccoli disaccordi o problemi più grandi, come la lontananza fisica, le pressioni finanziarie o le difficoltà familiari. Essere dedicati significa affrontare queste sfide con determinazione, cercando soluzioni piuttosto che fuggire davanti agli ostacoli.

La dedizione è anche strettamente legata alla pazienza. In una cultura che spesso premia la rapidità e l'efficienza, prendersi il tempo per ascoltare, comprendere e riflettere è diventato un'arte perduta. Tuttavia, nella sfera delle relazioni personali, la pazienza è fondamentale. Significa dare al proprio partner lo spazio per crescere e cambiare, ed essere lì per sostenere anziché giudicare.

Un altro aspetto della dedizione è la capacità di compromesso. In una relazione, raramente si può avere sempre tutto ciò che si vuole. Ci saranno momenti in cui sarà necessario fare dei compromessi per il bene maggiore della relazione. Ciò non significa rinunciare ai propri valori o principi fondamentali, ma piuttosto riconoscere che la relazione è un'entità vivente che ha bisogno di cura e attenzione.

La dedizione è anche profondamente intrecciata con l'atto di dare. Non si tratta solo di doni materiali, ma di dare il proprio tempo, attenzione e, più importante, il proprio cuore. Si tratta di essere presenti, di mostrare al partner che è una priorità e che si è disposti a fare quel passo in più per garantire il suo benessere.

Inoltre, la dedizione spesso comporta un grado di sacrificio. Questi sacrifici possono variare in dimensione e scala, dal rinunciare a piccoli piaceri personali per far felice il partner, fino a prendere decisioni di vita più grandi che avranno un impatto su entrambi.

Tuttavia, è fondamentale sottolineare che la dedizione non dovrebbe mai tradursi in una perdita completa della propria identità. Mentre l'idea di sacrificio è intrinseca al concetto di dedizione, è essenziale che entrambi i partner mantengano un senso di sé. Dedizione non significa annullamento di sé, ma piuttosto un impegno a coltivare un legame pur mantenendo la propria individualità.

Concludendo, la dedizione è uno degli elementi cardine per una relazione sana e prospera. Essa rappresenta un impegno profondo e incondizionato verso il partner, manifestato non solo nelle parole, ma soprattutto nelle azioni quotidiane. La dedizione non è un semplice sentimento effimero, ma piuttosto una scelta consapevole e continua di stare al fianco del proprio partner, nonostante le inevitabili sfide e avversità che la vita presenta.

Questa dedizione profonda va oltre la superficie degli obblighi o delle aspettative sociali. È un impegno che nasce da una comprensione autentica del valore e dell'importanza del legame che si condivide con un'altra persona. È il riconoscimento che, nonostante le differenze, le liti o i momenti difficili, c'è una connessione speciale che merita di essere salvaguardata e nutrita.

Allo stesso tempo, una dedizione autentica richiede un bilanciamento. Mentre ci si impegna profondamente nella relazione, è essenziale mantenere un senso di individualità e autonomia. La dedizione non dovrebbe mai tradursi in dipendenza o in perdita di sé. Al contrario, una dedizione sana consente ad entrambi i partner di crescere e prosperare sia come individui sia come coppia.

La dedizione è anche intrinsecamente legata alla fiducia. Affidarsi completamente a qualcuno, sapendo che saranno lì per te attraverso gli alti e bassi, è la quintessenza della dedizione. Questa fiducia si costruisce nel tempo, attraverso piccoli e grandi gesti, attraverso la coerenza e l'integrità dimostrate in ogni momento della relazione.

In ultima analisi, la dedizione è un viaggio, non una destinazione. È una pratica quotidiana, un impegno costante verso la crescita, la comprensione e l'amore profondo. Una relazione in cui entrambi i partner sono veramente dedicati l'uno all'altro ha il potere di fiorire e prosperare, offrendo una fonte inesauribile di sostegno, amore e felicità. In un mondo in cui l'effimero è spesso celebrato, la dedizione rappresenta una rara e preziosa costanza, la chiave per una connessione autentica e duratura.

Conclusione: L'Essenza di una Relazione Prospera

In questo viaggio attraverso le dinamiche delle relazioni interpersonali, abbiamo esplorato una serie di aspetti fondamentali che contribuiscono a costruire e mantenere un legame sano e duraturo:

1. **Comunicazione efficace:** La base di ogni relazione solida, che permette di esprimere pensieri, emozioni e preoccupazioni.
2. **Intimità:** Non solo fisica, ma anche emotiva, che rafforza la connessione tra le persone.
3. **Onestà:** Essere veri e trasparenti, costruendo una base di fiducia.
4. **Supporto reciproco:** Sostenersi a vicenda nei momenti buoni e in quelli difficili.
5. **Limiti e confini:** Essenziali per rispettare lo spazio e le esigenze di ognuno.
6. **Intelligenza emotiva:** Riconoscere e gestire le emozioni, proprie e altrui.
7. **Evoluzione personale:** La crescita individuale che arricchisce anche la coppia.
8. **Gestione dei conflitti:** Navigare attraverso i disaccordi in modo costruttivo.
9. **Vita sociale e indipendenza:** Mantenere un equilibrio tra la vita di coppia e quella individuale.
10. **Attenzione ai dettagli:** I piccoli gesti che fanno la differenza.
11. **Salute e benessere:** La cura di sé riflette positivamente sulla relazione.
12. **Valori e obiettivi:** Condividere una visione comune per un futuro insieme.
13. **Empatia:** Capire profondamente le emozioni e le prospettive del partner.
14. **Romanticismo:** Mantenere viva la fiamma, indipendentemente dal tempo trascorso insieme.
15. **Dedizione:** L'impegno profondo di far funzionare la relazione.

Per approfondire ulteriormente questi argomenti e trovare strumenti pratici per arricchire la propria relazione, ci sono numerosi siti web e guide disponibili:

- **Relate.org.uk**: Un'organizzazione che offre consulenza, formazione e supporto per le relazioni.
- **PsychCentral**: Una risorsa ricca di articoli e consigli su molteplici aspetti della psicologia e delle relazioni interpersonali.
- **Gottman Institute**: Fondata dal Dr. John Gottman, offre ricerche e risorse basate su anni di studi sulle coppie.

Inoltre, libri come "I 5 linguaggi dell'amore" di Gary Chapman o "Le sette regole per avere successo a coppia" di John Gottman forniscono intuizioni preziose sulle dinamiche delle relazioni d'amore.

Nel complesso, ogni relazione è unica e merita impegno, comprensione e cura. Attraverso la consapevolezza e la pratica, è possibile costruire un legame che non solo sopravvive, ma prospera nel corso del tempo.

Milton Keynes UK
Ingram Content Group UK Ltd.
UKHW022358221123
433098UK00005B/78